Comisiwn Brenhinol Henebion Cym...

Royal Commission on the Ancient and Historical Monuments of Wales

Plas Crug, Aberystwyth, Ceredigion, SY23 1NJ

Ffôn / Telephone: 01970 621200 *Ffacs / Fax*: 01970 627701

e-bost / e-mail: admin.rcahmw@rcahmw.org.uk

Tudalen ar y We: / Web page: www.rcahmw.org.uk

AIMS AND OBJECTIVES

- To carry out accurate and scholarly surveys which are made readily accessible to the public; to maintain an archive and a national database; to publish the results of our investigations.
- To co-operate with other bodies working in the same field and where appropriate to guide, assist and fund them in their work.
- To maintain the high standards we have developed from our own field and research experience and that of others, and to continue to set an example in our work.
- To recruit and retain staff appropriate for our needs and to provide training to enhance their effectiveness and job satisfaction.
- To be open and fair in all our dealings.
- To manage our resources in the most economical, efficient and effective way.

These aims will be pursued through the following strategic objectives:

- Compiling information by surveying, recording and interpreting terrestrial and maritime archaeological and historical sites, structures and landscapes, particularly those of national and local importance which are threatened with destruction.
- Creating and maintaining a comprehensive archive in the form of a National Monuments Record including a national index to regional Sites and Monuments Records.
- Publicising the scope and publishing the results of investigations carried out in pursuit of the above objectives.
- Advising on the survey, interpretation, preservation and conservation of ancient and historical monuments and constructions.
- Setting standards and providing guidance and funding to other organisations and individuals to survey, record and interpret the archaeological landscapes and historic buildings of Wales.
- Seeking to achieve progressive improvements in the quality and efficiency of the services provided.

AMCANION A DIBENION

- Gwneud arolygon cywir ac ysgolheigaidd y trefnir iddynt fod ar gael yn hwylus i'r cyhoedd; cadw archif a chronfa ddata genedlaethol; cyhoeddi ffrwyth ein hymchwiliadau.
- Cydweithio â chyrff eraill sy'n gweithio yn yr un maes, a lle bo'n briodol, eu cyfarwyddo, eu helpu a'u hariannu yn eu gwaith.
- Cynnal y safonau uchaf yr ydym wedi ei datblygu ar sail ein profiad ein hunain o waith maes ac ymchwil, a phrofiad cyrff eraill, a pharhau i gynnig esiampl yn ein gwaith.
- Recriwtio a chadw staff sy'n briodol i'n hanghenion a darparu hyfforddiant er mwyn cynyddu eu heffeithiolrwydd a'r boddhad a gânt o'u gwaith.
- Bod yn agored ac yn deg yn ein holl weithrediadau.
- Rheoli ein hadnoddau yn y ffordd fwyaf darbodus, effeithlon ac effeithiol.

Fe eir ar drywydd yr amcanion hynny drwy gyfrwng y nodau strategol a ganlyn:

- Casglu gwybodaeth drwy arolygu, cofnodi a dehongli safleoedd, adeiladweithiau a thirluniau archaeolegol a hanesyddol ar y tir ac yn y môr, yn enwedig y rhai sydd o bwys cenedlaethol a lleol ac y bygythir eu dinistrio.
- Creu a chynnal archif gynhwysfawr ar ffurf Cofnod Henebion Cenedlaethol, gan gynnwys mynegai cenedlaethol i'r Cofnodion o Safleoedd a Henebion rhanbarthol.
- Rhoi cyhoeddusrwydd i gwmpas yr ymchwiliadau, a chyhoeddi ffrwyth yr ymchwiliadau a wnaed, wrth fynd ar drywydd y nodau uchod.
- Cynghori ynglŷn ag arolygu, dehongli, diogelu a sicrhau cadwraeth henebion ac adeiladweithiau hynafol a hanesyddol.
- Gosod safonau a darparu cyfarwyddyd a chyllid i gyrff ac unigolion eraill i arolygu, cofnodi a dehongli tirluniau archaeolegol ac adeiladau hanesyddol Cymru.
- Ceisio gwella'n gyson ansawdd ac effeithlonrwydd y gwasanaethau a ddarperir gennym

BRYNGAER PEN DINAS HILL-FORT

A PREHISTORIC FORTRESS AT ABERYSTWYTH

DAVID BROWNE & TOBY DRIVER

ISBN 1-871184-24-X

British Library Cataloguing in Publication Data.
A catalogue record for this book is available from the British Library.

Royal Commission on the Ancient and Historical Monuments of Wales,
Plas Crug, Aberystwyth, Ceredigion, Wales, SY23 1NJ
Telephone: 01970 621200 *Fax*: 01970 627701 *e-mail*: nmrwales@rcahmw.org.uk

Printed in Wales by: Hackman Print, Cambrian Industrial Park,
Clydach Vale, Tonypandy, Rhondda, CF40 2XX.
Telephone: 01443 441100 *Fax*: 01443 434455

Acknowledgments

The authors would like to thank the Royal Commissioners and their Secretary for support and advice in producing this work. They are also grateful for the assistance of officers of Ceredigion County Council, particularly Michael Freeman and Liz Allan. Mike Ginsberg has also contributed useful information about the site. The Cardiganshire County History, volume I, has been a valuable basic source. Graphics and design work have been carried out by John Johnston and Charles Green and photographic reproduction by Fleur James.

Diolchiadau

Hoffai'r awduron ddiolch i'r Comisiynwyr Brenhinol a'u Hysgrifennydd am eu cefnogaeth a'u cyngor wrth gynhyrchu'r gwaith hwn. Hoffem ddiolch hefyd am gymorth swyddogion Cyngor Sir Ceredigion, yn enwedig Michael Freeman a Liz Allan. Cafwyd gwybodaeth ddefnyddiol am y safle gan Mike Ginsberg a bu cyfrol I y Cardiganshire County History yn ffynhonnell sylfaenol a gwerthfawr o wybodaeth. Crëwyd y graffigwaith a'r dylunwaith gan Charles Green a John Johnston a'r atgynyrchiadau ffotograffig gan Fleur James.

CONTENTS
CYNNWYS

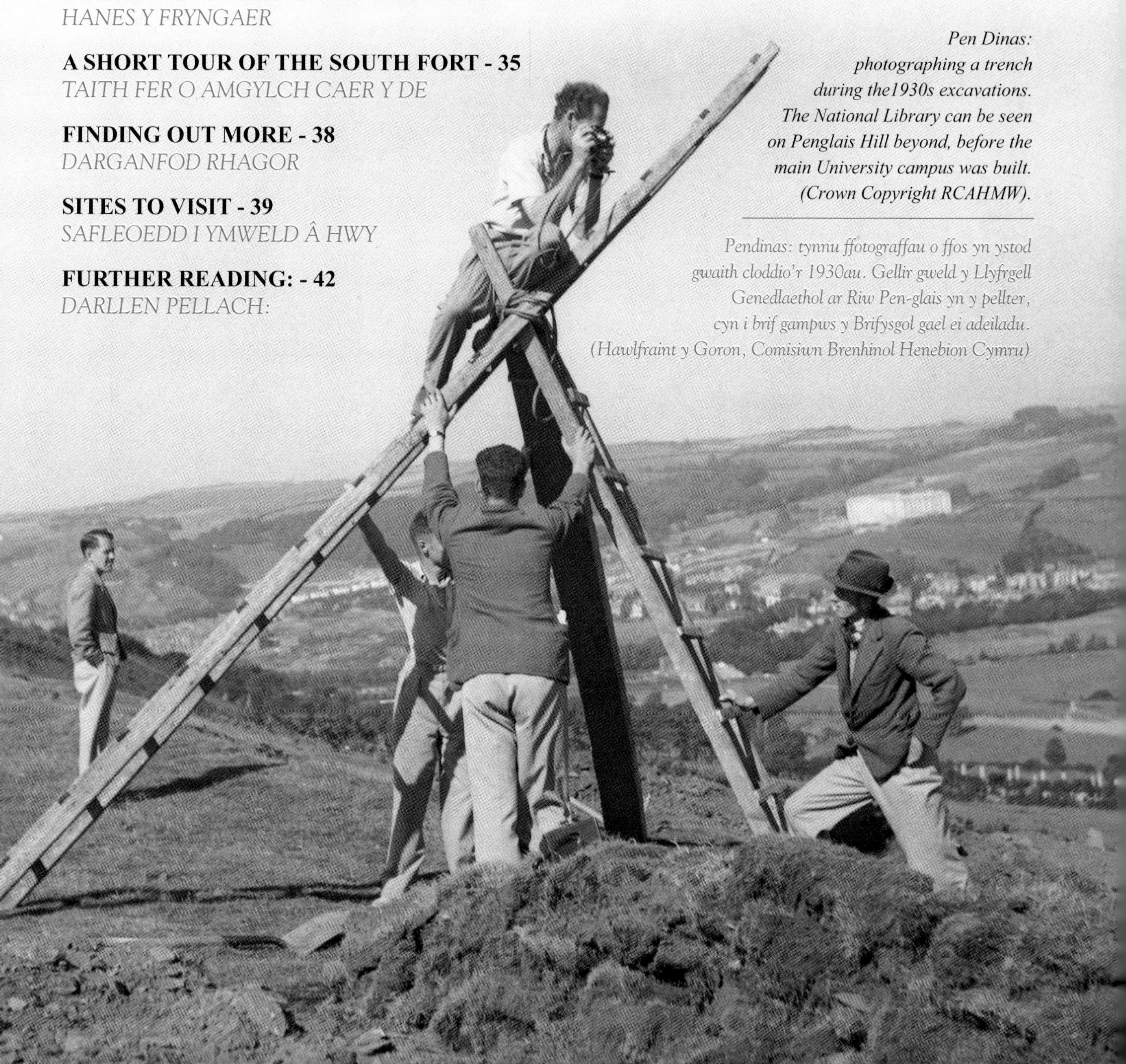

Pen Dinas: photographing a trench during the1930s excavations. The National Library can be seen on Penglais Hill beyond, before the main University campus was built. (Crown Copyright RCAHMW).

Pendinas: tynnu ffotograffau o ffos yn ystod gwaith cloddio'r 1930au. Gellir gweld y Llyfrgell Genedlaethol ar Riw Pen-glais yn y pellter, cyn i brif gampws y Brifysgol gael ei adeiladu. (Hawlfraint y Goron, Comisiwn Brenhinol Henebion Cymru)

INTRODUCTION

Pen Dinas is a well-known landmark of the Ceredigion coast and Aberystwyth but its significance in the history of ancient Wales is generally only appreciated by archaeologists and local historians. The authors of this booklet hope to bring this knowledge to a wider audience and encourage people to take a deeper interest in the care of the monument and in the archaeology of Ceredigion and Wales. The long-term future of the site has been secured by its designation in 1999 as a Local Nature Reserve by Ceredigion County Council.

RHAGYMADRODD

Er bod Pendinas yn amlwg iawn ar arfordir Ceredigion yn ymyl Aberystwyth, archaeolegwyr a haneswyr lleol yw bron yr unig rai sy'n sylweddoli pa mor bwysig yw'r fryngaer hon yn hanes Cymru'r hen oesoedd. Gobaith awduron y llyfryn hwn yw cyflwyno'r wybodaeth honno i gynulleidfa ehangach ac annog pobl i ymddiddori rhagor yn y broses o ofalu am yr heneb hon ac yn archaeoleg Cymru a Cheredigion. Mae dyfodol tymor-hir y safle wedi'i sicrhau gan i Gyngor Sir Ceredigion ei ddynodi'n Warchodfa Natur leol ym 1999.

PEN DINAS - THE GEOGRAPHICAL AND HISTORICAL SETTING

PENDINAS - Y CEFNDIR DAEARYDDOL A HANESYDDOL

WHAT IS A HILL-FORT?

Hill-fort is the name given by archaeologists to sites on hill tops or hill slopes with some signs of a defence. They usually date from the Iron Age (700 BC to AD 43), although some began in the Late Bronze Age (1200 BC to 700 BC). Excavations and detailed fieldwork have shown that the term covers a very wide range of sites from small farm to settlements of almost urban status with different origins and histories. Pen Dinas is a true hill-fort built with imposing defences on an easily defensible and commanding position.

THE SETTING

The hill-fort of Pen Dinas crowns the twin summits of a large hill between the mouths of the rivers Ystwyth and Rheidol. The south summit rises to 120 metres above sea level, whilst the north is slightly lower at a maximum of 114 metres. The hill falls steeply on all sides except the east where more moderate slopes descend to the terraces of the Rheidol. In ancient times, the Ystwyth entered the sea by Tan-y-bwlch, only being diverted to Aberystwyth harbour in the late eighteenth century. The Rheidol reached Cardigan Bay by a series of channels north of Pen Dinas.

THE BUILDERS

The builders of the original fort at Pen Dinas were by no means the first settlers in the area. They may have been invaders from some more distant part of western Britain, but they are more likely to have been the descendants of the people who had inhabited the area or other adjacent parts of the county in Late Bronze Age times. The hill certainly had some sort of sacred significance in the earlier Bronze Age when a burial mound was probably erected over the remains of a high ranking personage on the site of the later south fort.

BETH YW BRYNGAER?

Bryngaer yw'r enw a roir gan archaeolegwyr i safle ar ben neu ar lethrau bryn a lle ceir arwyddion o godi amddiffynfeydd. Yn ystod yr Oes Haearn (700 CC - OC 43) y codwyd bryngaerau fel rheol ond dechreuwyd codi rhai ohonynt tua diwedd yr Oes Efydd (1200 CC - 700 CC). Mae gwaith cloddio a gwaith maes manwl wedi dangos bod 'bryngaer' yn derm sy'n cwmpasu amrywiaeth mawr iawn o safleoedd, o ffermydd bach i aneddiadau sydd bron o faint tref, a bod eu tarddiad a hanes y bryngaerau yn bur wahanol i'w gilydd. Mae Pendinas yn fryngaer o'r iawn ryw gan fod iddi amddiffynfeydd sylweddol, a'r rheiny wedi'u codi ar safle uchel sy'n hawdd ei amddiffyn.

Y LLEOLIAD

Saif bryngaer Pendinas ar y ddau gopa sydd i fryn mawr rhwng aberoedd Ystwyth a Rheidol. Mae'r copa deheuol yn codi i 120 metr uwchlaw lefel y môr tra bo'r un gogleddol ychydig yn is, sef 114 metr ar ei uchaf. Mae'r llethrau'n serth ar bob ochr i'r bryn ac eithrio yn y dwyrain lle mae'r llethrau'n disgyn yn llai serth hyd at derasau afon Rheidol. Yn yr hen amser, arferai afon Ystwyth lifo i'r môr ger Tan-y-bwlch, ac ni newidiwyd cwrs yr afon i lifo i borthladd Aberystwyth tan ddiwedd y ddeunawfed ganrif. Llifai afon Rheidol i Fae Ceredigion ar hyd cyfres o sianelau i'r gogledd o Bendinas.

YR ADEILADWYR

Nid adeiladwyr y gaer wreiddiol ym Mhendinas oedd y bobl gyntaf o bell ffordd i anheddu'r ardal. Er iddynt fod, efallai, yn oresgynwyr o ryw ran fwy pellennig o orllewin Prydain, mae'n fwy tebyg mai disgynyddion y bobl a oedd wedi byw yn yr ardal neu mewn rhyw rannau cyfagos o'r sir tua diwedd yr Oes Efydd oeddent. Mae'n sicr bod i'r bryn ryw fath o arwyddocâd crefyddol ar ddechrau'r Oes Efydd gan mai dyna pryd, mae'n debyg, y codwyd tomen

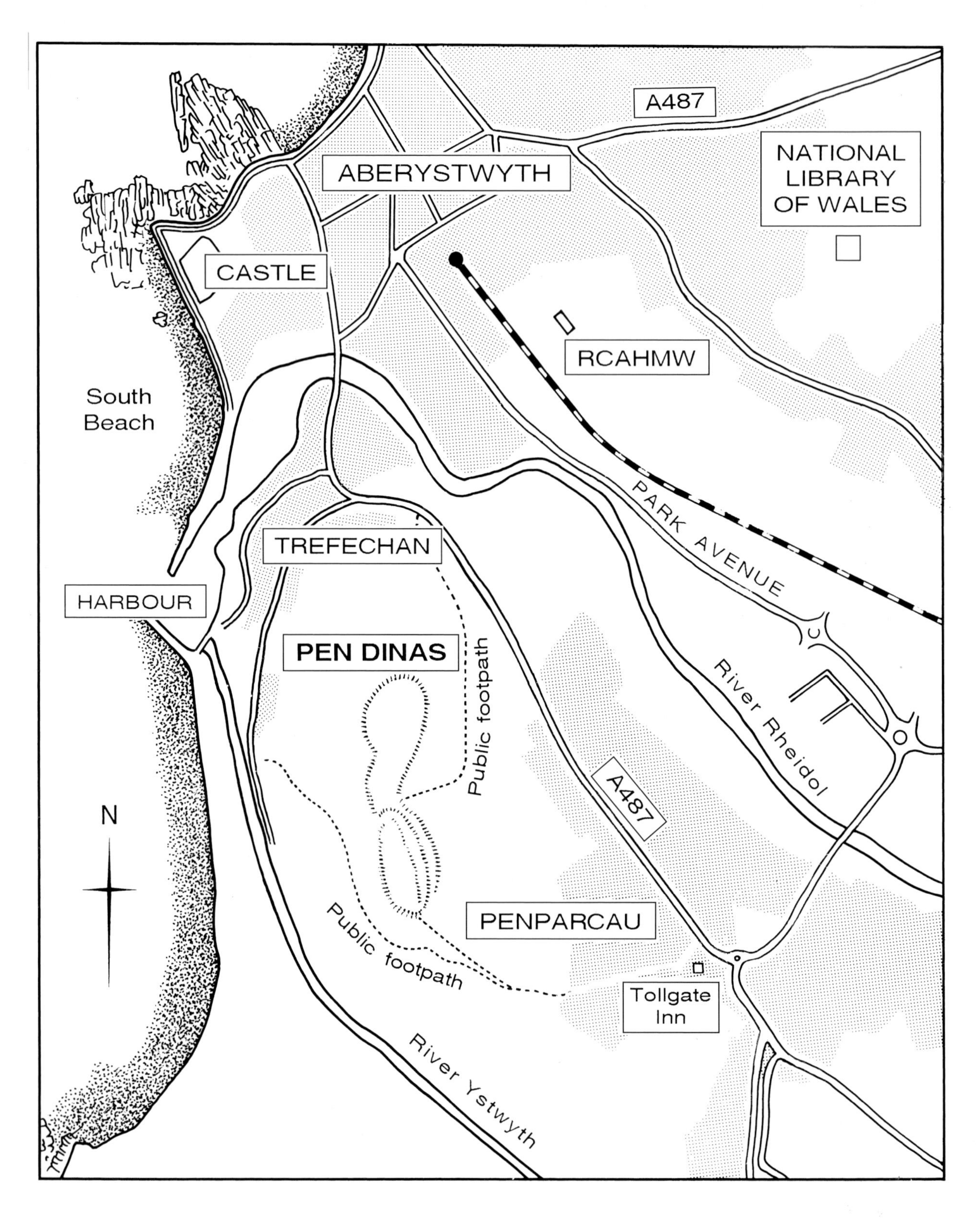
A487
NATIONAL LIBRARY OF WALES
ABERYSTWYTH
CASTLE
RCAHMW
South Beach
PARK AVENUE
TREFECHAN
HARBOUR
PEN DINAS
Public footpath
River Rheidol
N
A487
PENPARCAU
Public footpath
Tollgate Inn
River Ystwyth

DIFFICULT TIMES

The Late Bronze Age had been a time of slowly increasing pressure on the established pattern of agriculture, leading to the abandonment of formerly productive land. The main reason was that the climate became cooler and wetter, shortening the growing season. Several centuries of woodland clearance made matters worse as erosion damaged uplands and caused changes to the flows of rivers. The climax of this climatic deterioration came between 850 and 650 BC. Much of the area in the hinterland of Pen Dinas was probably abandoned, but conditions may not have been as bad nearer the coast with some families eking out a precarious livelihood on their ancestral lands.

CHANGES FOR THE BETTER

The climate improved from about 450 BC onwards and like other parts of Wales it is probable that the communities around Pen Dinas expanded their farms and the population increased with more stable conditions. Newcomers may also have appeared competing for land, and it is probably in this sort of context that we should understand the raising of a fortified settlement on the north summit.

THE IRON AGE COUNTRYSIDE

The rural landscape around Pen Dinas from the mid fifth century BC onwards would have seen many changes. There is evidence in the form of smaller hill-forts and valley-bottom farmsteads that there was a great expansion in the number of settlements and fields on the river terraces and higher slopes. Here the soil was primarily suitable for grazing although small areas would have been given over to cereals and grain. The native woodlands of sessile oak with birch, hazel, rowan, ash and hawthorn would have been progressively cleared away, so much so that by Roman times the amount of forest cover would have been about the same as today. As these habitats dwindled the forest animals that once

Pen Dinas: location map. (Crown Copyright RCAHMW).

gladdu dros weddillion rhywun o bwys ar safle'r hyn a ddaeth yn ddiweddarach yn gaer y de.

CYFNOD ANODD

Tua diwedd yr Oes Efydd gwelwyd mwy a mwy o bwysau ar y patrwm amaethu a gawsai ei sefydlu. Bu'n rhaid rhoi'r gorau i ffermio tir a fu gynt yn ffrwythlon, a hynny'n bennaf am i'r hinsawdd oeri a throi'n wlypach gan gwtogi ar hyd y tymor tyfu. Effaith sawl canrif o glirio tir coediog oedd dwysáu'r sefyllfa wrth i bridd yr ucheldir erydu ac achosi newid yn llif yr afonydd. Rhwng 850 a 650 CC y cyrhaeddodd y dirywiad yn yr hinsawdd honno ei anterth. Mae'n fwy na thebyg y rhoddwyd y gorau i drin llawer o'r tir yng nghyffiniau Pendinas, ond fe all nad oedd yr amodau cynddrwg gerllaw'r arfordir a bod rhai teuluoedd wedi dal ati i grafu byw wrth ffermio tir eu hynafiaid.

HAUL AR FRYN

Gwellodd yr hinsawdd o tua 450 CC ymlaen ac mae'n debyg bod y cymunedau o amgylch Pendinas, fel mewn rhannau eraill o Gymru, wedi ehangu eu ffermydd a bod y boblogaeth wedi cynyddu wrth i'r amodau droi'n fwy sefydlog. Mae'n bosibl hefyd y gall newydd- ddyfodiaid fod wedi cystadlu am y tir, ac mae'n fwy na thebyg mai yn y math hwn o gyd-destun y dylem ddeall pam yr aethpwyd ati i godi anheddiad amddiffynedig ar y copa gogleddol.

Y WLAD YN YR OES HAEARN

Byddai'r dirwedd wledig o amgylch Pendinas o ganol y bumed ganrif CC ymlaen wedi gweld llawer newid. Ceir tystiolaeth, ar ffurf bryngaerau llai a ffermydd ar lawr gwlad, i nifer yr aneddiadau a'r caeau ar derasau'r afonydd a'r llethrau uwch gynyddu'n fawr. Yma, ceid tir pori gan mwyaf er y ceid hefyd rywfaint o dir lle tyfid grawn a grawnfwydydd. Yn raddol, byddai'r trigolion wedi clirio'r coed brodorol, sef y dderwen ddigoes a'r coed bedw, cyll, criafol, ynn a'r ddraenen wen, a hynny i

Pendinas: map o'r lleoliad. (Hawlfraint y Goron, Comisiwn Brenhinol Henebion Cymru).

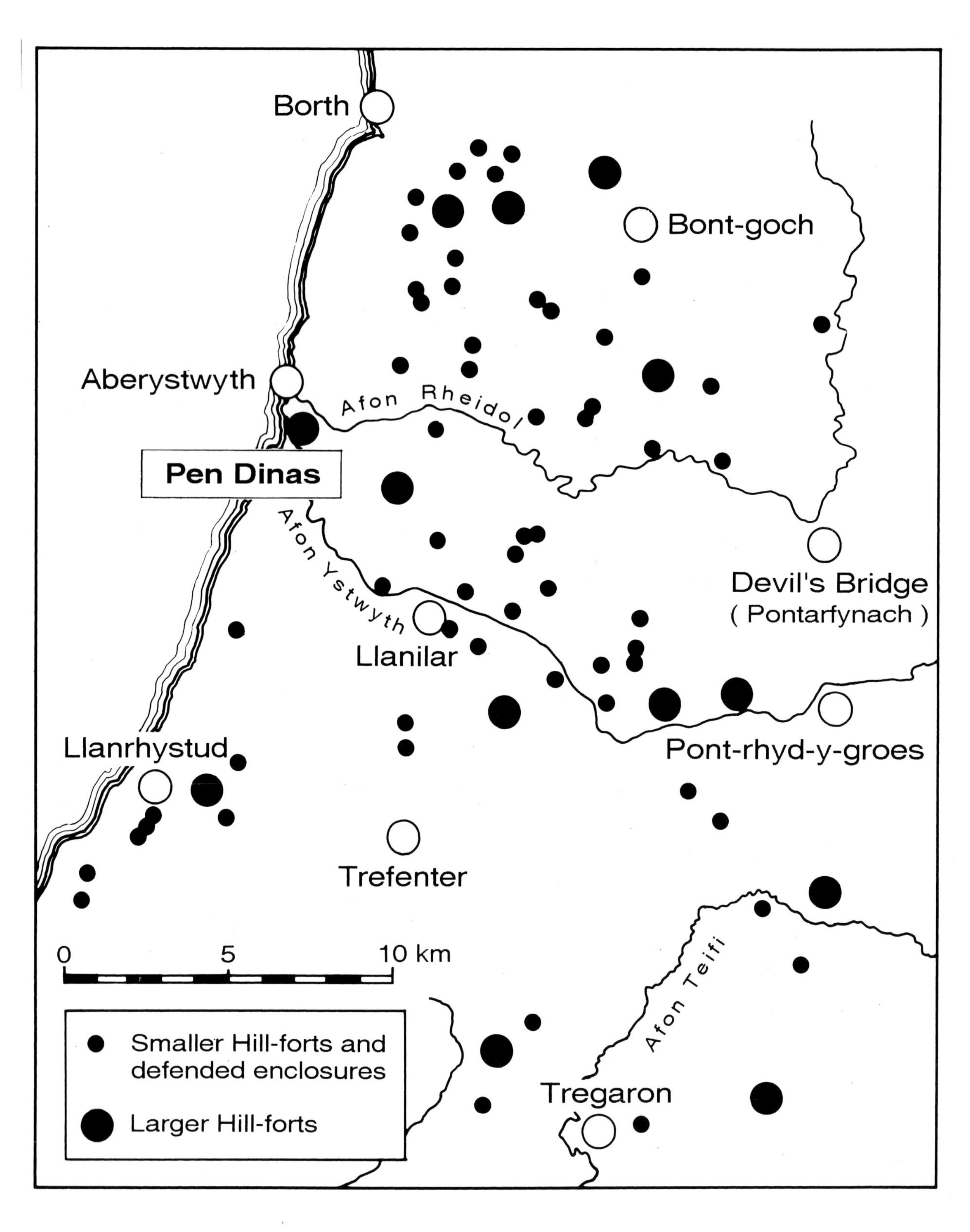
Borth
Bont-goch
Aberystwyth
Afon Rheidol
Pen Dinas
Afon Ystwyth
Devil's Bridge
(Pontarfynach)
Llanilar
Llanrhystud
Pont-rhyd-y-groes
Trefenter
0
5
10 km
Afon Teifi
Smaller Hill-forts and defended enclosures
Larger Hill-forts
Tregaron

would have provided a useful supplement to the diet such as wild boar and deer would have almost disappeared, probably to become the sole prerogative of the warrior-chiefs. The river valleys would have served as meadows, but were prone to flooding exacerbated by the woodland clearances upstream.

(Above) Glan-ffrwd, near Aberystwyth. A small Iron Age promontory fort, visible from the air as a cropmark. (Crown Copyright RCAHMW).
(Right) Hen Gaer, Penrhyncoch, a well-preserved smaller hill-fort of the Iron Age, with a modern covered reservoir alongside. (Crown Copyright RCAHMW).

CHIEFS AND WARRIORS

The people of the area during these centuries probably belonged to a subdivision of a more widespread tribal group which spoke one of the group of early Celtic languages. Society was divided into two main classes, the chief and his retainers and the peasants. The hill-fort was almost certainly permanently occupied from soon after it was first built, probably by an elite group, whilst the peasants would have been based at the farmsteads dotting the landscape. In times of warfare or raiding they would have sheltered in the fort to be protected by the warriors gathered around the chief as part of the duties expected of a local lord. The chief whose

(Opposite) Hill-forts in the Aberystwyth area. (Crown Copyright RCAHMW).

gymaint graddau nes bod hyd a lled y coedwigoedd, erbyn cyfnod y Rhufeiniaid, tua'r un faint ag ydynt heddiw. Wrth i'r cynefinoedd hynny edwino, byddai anifeiliaid megis y baedd gwyllt a'r carw, a fyddai gynt wedi bod yn ychwanegiad defnyddiol at ddiet pobl, bron â diflannu a throi'n fwyd i'r pendefigion milwrol yn unig, mae'n debyg. Ceid dolydd ar hyd y dyffrynnoedd, ond oherwydd clirio'r coed ar y tir uchel byddai perygl i'r afonydd orlifo drostynt.

(Uwch) Hen Gaer, Penrhyn-coch, bryngaer lai, sydd wedi'i diogelu'n dda, o'r Oes Haearn, a chronfa ddŵr fodern dan do wrth ei hochr. (Hawlfraint y Goron, Comisiwn Brenhinol Henebion Cymru).
(Chwith) Glan-ffrwd, ger Aberystwyth. Caer bentir fach, o'r Oes Haearn, sy'n weladwy o'r awyr fel ôl cnwd. (Hawlfraint y Goron, Comisiwn Brenhinol Henebion Cymru).

PENDEFIGION A RHYFELWYR

Mae'n fwy na thebyg bod trigolion yr ardal yn ystod y canrifoedd hynny yn perthyn i is-raniad o'r grwp llwythol ehangach a siaradai un o'r grwp o ieithoedd Celtaidd cynnar. Rhennid cymdeithas yn ddau brif ddosbarth, sef y pendefig a'i filwyr a'r werin bobl. Mae hi bron yn sicr i bobl ddod i fyw'n barhaol yn y fryngaer yn fuan ar ôl iddi gael ei chodi gyntaf. Uchelwyr, mae'n debyg, oedd y rheiny, a byddai'r werin wedi byw yn y ffermydd ar lawr gwlad. Pe ceid rhyfel neu gyrch, âi'r werin bobl i gysgodi yn y gaer i geisio noddfa gan y rhyfelwyr a fyddai wedi crynhoi o gwmpas y pendefig fel rhan o ddyletswyddau'r arglwyddi lleol. O amgylch y pendefig, a fyddai wedi

(Cyferbyn) Bryngaerau yn ardal Aberystwyth. (Hawlfraint y Goron, Comisiwn Brenhinol Henebion Cymru).

authority might have been hereditary or elective would have been surrounded by his immediate family and a warrior group drawn from his kin and broader social relations. Specialists such as blacksmiths may have been included in the elite entourage.

Small-scale warfare seems to have been endemic to Iron Age societies in much of Britain. Fighting tactics were of the 'heroic kind', often involving single combat between men carrying slashing swords and shields and wearing little more than elaborate tattoos and bright war-paint. Fear was induced in their enemies by their awesome appearance and the terrific din of clashing weapons and large war-horns. However, the every-day weapon of the warriors guarding the fort would have been a sling, loaded with round river or beach pebbles. An experienced slinger could easily pick off a victim within an approximate range of 60m (200ft). In the 1930s, the excavators found a pile of 100 pebbles, probably an unused stock of slingshots. Slingstones are a fairly common find at other forts in the region.

ennill ei awdurdod drwy olyniaeth neu etholiad, byddai ei deulu agos a grwp o ryfelwyr o blith ei garennydd a'i gysylltiadau cymdeithasol ehangach. Mae'n bosibl y byddai'r grwp hwnnw'n cynnwys arbenigwyr megis gofaint.

Mae'n ymddangos bod rhyfela ar raddfa fach yn elfen gyson ym mywyd cymdeithasau'r Oes Haearn ledled Prydain. 'Arwrol' oedd y tactegau ymladd, a hynny'n aml rhwng unigolion na wisgent fawr mwy nag addurniadau cymhleth a phaent llachar ar eu cyrff ac a ymladdai â chleddyfau a tharianau. Diben eu hymddangosiad brawychus a sŵn arswydus eu harfau a'u cyrn rhyfel mawr oedd codi arswyd ar y gelyn. Serch hynny, arf y rhyfelwyr wrth warchod y gaer o ddydd i ddydd fyddai ffon dafl a cherrig mân o'r afon neu'r traeth. Gallai rhyfelwr profiadol yn hawdd daro gelyn a oedd ryw 60m (200 troedfedd) oddi wrtho. Yn ystod y 1930au, daeth y cloddwyr o hyd i bentwr o 100 o gerrig mân a oedd, mae'n debyg, yn rhan o stoc na chawsai ei defnyddio. Daw cerrig tafl i'r golwg yn weddol aml mewn caerau eraill yn y rhanbarth.

Iron Age 'sling-shot' found at Pen Dinas, Aberystwyth. They are now in the Ceredigion Museum. (Crown Copyright RCAHMW).

'Cerrig tafl' o'r Oes Haearn y cafwyd hyd iddynt ym Mhendinas, Aberystwyth. Maent bellach yn Amgueddfa Ceredigion. (Hawlfraint y Goron, Comisiwn Brenhinol Henebion Cymru).

Reconstructed Iron Age round houses at Castell Henllys, Pembrokeshire. (Photo: C.R. Musson. © J.L. Davies).

Tai crwn o'r Oes Haearn wedi'u hailgodi yng Nghastell Henllys, Sir Benfro. (Ffotograff: C.R. Musson. © J.L. Davies).

FARMERS

The peasants would have lived in farmsteads comprising round timber houses with conical thatched roofs and probably other timber buildings such as animal sheds and granaries built on a rectangular framework of four large posts. Raiding and more prolonged warfare between chiefdoms made defences such as banks and stockades an unfortunate fact of life. The individual farms would have been connected by a network of well-trodden, unmetalled tracks. The peasants would have lived off their land which probably also produced a surplus for consumption by the chief and his followers and for some trade, though it is doubtful if the peasant saw much benefit from this. Although

FFERMWYR

Byddai'r werin bobl wedi byw ar ffermydd a oedd yn cynnwys tai crwn o bren â tho gwellt ac, mae'n debyg, adeiladau eraill o bren megis beudai ac ysguboriau a godid ar fframwaith petryal o bedwar postyn mawr. Oherwydd y cyrchoedd a'r rhyfela rhwng gwahanol benaethiaid, y ffaith anffodus amdani oedd bod rhaid codi amddiffynfeydd megis cloddiau a stocadau i warchod y ffermydd. Rhwydwaith o lwybrau cyntefig fyddai'n cysylltu'r gwahanol ffermydd a chynnyrch y tir fyddai cynhaliaeth y werin. Mae'n debyg y byddent hefyd yn cynhyrchu rhywfaint o fwyd i'r pennaeth a'i ddilynwyr a rhywfaint i'w fasnachu, ond go brin iddynt elwa ryw lawer o hynny. Er y byddent yn tyfu

Pen Dinas: view of the four-post structure excavated behind the isthmus gate in 1934, possibly the footings of a raised granary. (Crown Copyright RCAHMW).

Pendinas: golwg o'r adeiladwaith o bedwar postyn a gloddiwyd y tu hwnt i borth y culdir ym 1934. Fe all mai sylfeini ysgubor ddyrchafedig oeddent. (Hawlfraint y Goron, Comisiwn Brenhinol Henebion Cymru).

some cereal was grown, subsistence mainly depended on animal products particularly cattle and sheep which would have provided both food and clothing. The diminishing native woodland and carefully-managed coppices would have provided additional small-scale food resources along with wood for implements and utensils. River banks would have given reeds for basketry and thatching. We do not know what use the people made of the sea and rivers, which yielded abundant food in the Middle Ages. In the Iron Age, these rich resources may have been the prerogative of the ruling class.

A LOCAL CAPITAL

Judging from its size and prominence in its heyday, Pen Dinas was probably the centre of a fairly widespread chiefdom ruling much of north Ceredigion. Just how many people were subject to it cannot be said, but evidence from the surrounding district suggests it may have controlled lands within a five-mile radius, as far as Bow Street in the north, Goginan in the east, and Llanilar in the south.

rhywfaint o rawn, byddai eu cynhaliaeth yn dibynnu'n bennaf ar gynhyrchion anifeiliaid, yn enwedig eu gwartheg a'u defaid, gan mai ohonynt hwy y deuai eu bwyd a'u dillad. Drwy hela yn y coedwigoedd brodorol a oedd yn prysur brinhau, ac yn y coedlannau a gâi eu rheoli'n ofalus, caent ychydig o fwyd ychwanegol ynghyd â phren i wneud offer a llestri ohono. Defnyddient gyrs o lannau'r afonydd i wneud basgedi a thoeau. Ni wyddom pa ddefnydd a wnâi'r bobl o'r môr a'r afonydd a ddaeth yn gymaint o ffynhonnell bwyd yn yr Oesoedd Canol. Yn ystod yr Oes Haearn, mae'n bosibl mai'r uchelwyr yn unig a fwytâi gynnyrch y rheiny.

CANOLFAN LEOL

A barnu wrth ei maint a'i hamlygrwydd ar ei hanterth, mae'n fwy na thebyg i fryngaer Pendinas fod yn ganolfan pendefigaeth weddol eang a rychwantai ran helaeth o ogledd Ceredigion. Ni ellir dweud faint yn union o bobl a oedd ynddi, ond mae'r dystiolaeth o'r ardal o'i hamgylch yn awgrymu y gallai'r fryngaer hon fod wedi rheoli tiroedd o

Pen Dinas: aerial view from the south-east.(Crown Copyright RCAHMW).

Pendinas: golwg o'r awyr o'r de-ddwyrain. (Hawlfraint y Goron, Comisiwn Brenhinol Henebion Cymru).

Beyond this zone there are hill-forts of comparable strength which may have ruled territories independent of Pen Dinas.

The elite at the hill-fort occupied houses of a similar kind to those of the peasants though they were probably better appointed inside with fittings and hangings made from the surplus agricultural products such as wool that they would have controlled. Their clothes were probably of superior weaves and cuts. The chief had access to luxuries unattainable by the peasants such as fine pottery and glass beads, although exactly how these were obtained is uncertain. The hill-fort was a centre of storage and redistribution, and for blacksmithing and textile production. It was also probably the site of regular markets or fairs, attracting farmers with their livestock from many miles around.

fewn cwmpas o bum milltir, sef mor bell â Bow Street yn y gogledd, Goginan yn y dwyrain a Llanilar yn y de. Y tu hwnt i'r fro honno, ceir bryngaerau sy'n ddigon tebyg o ran eu cadernid ac a allai fod wedi rheoli tiriogaethau a oedd yn annibynnol ar Bendinas.

Mewn tai tebyg i rai'r werin y byddai'r uchelwyr yn y fryngaer yn byw, ond yn ôl pob tebyg byddai eu tai wedi'u dodrefnu'n well â ffitiadau a chroglenni a wnaed o'r cynhyrchion amaethyddol, megis gwlân, a oedd o dan eu rheolaeth. Mae'n fwy na thebyg hefyd fod gwell graen ar eu dillad. Câi'r pennaeth ddefnyddio moethau a oedd y tu hwnt i gyrraedd y werin, megis crochenwaith cain a gleiniau gwydr, er na wyddom i sicrwydd sut y caent afael ar y rheiny. Yr oedd y fryngaer yn ganolfan storio ac ailddosbarthu ac yn ganolfan hefyd i waith gofaint ac i gynhyrchu tecstilau. Yno hefyd, mae'n debyg, cynhelid marchnadoedd megis ffeiriau yn rheolaidd gan ddenu ffermwyr a'u da byw atynt o ardal eithaf helaeth.

PEN DINAS – THE STORY OF THE HILL-FORT
PENDINAS - HANES Y FRYNGAER

'There are several old British camps, or forts, in the parish... The most remarkable is Penydinas, near Aberystwyth, though indeed two encampments are discernable on this hill, one square, and the other circular, having beneath it on one side several shelves of earth.'

Samuel Rush Meyrick, *The History and Antiquities of the County of Cardigan* (1808).

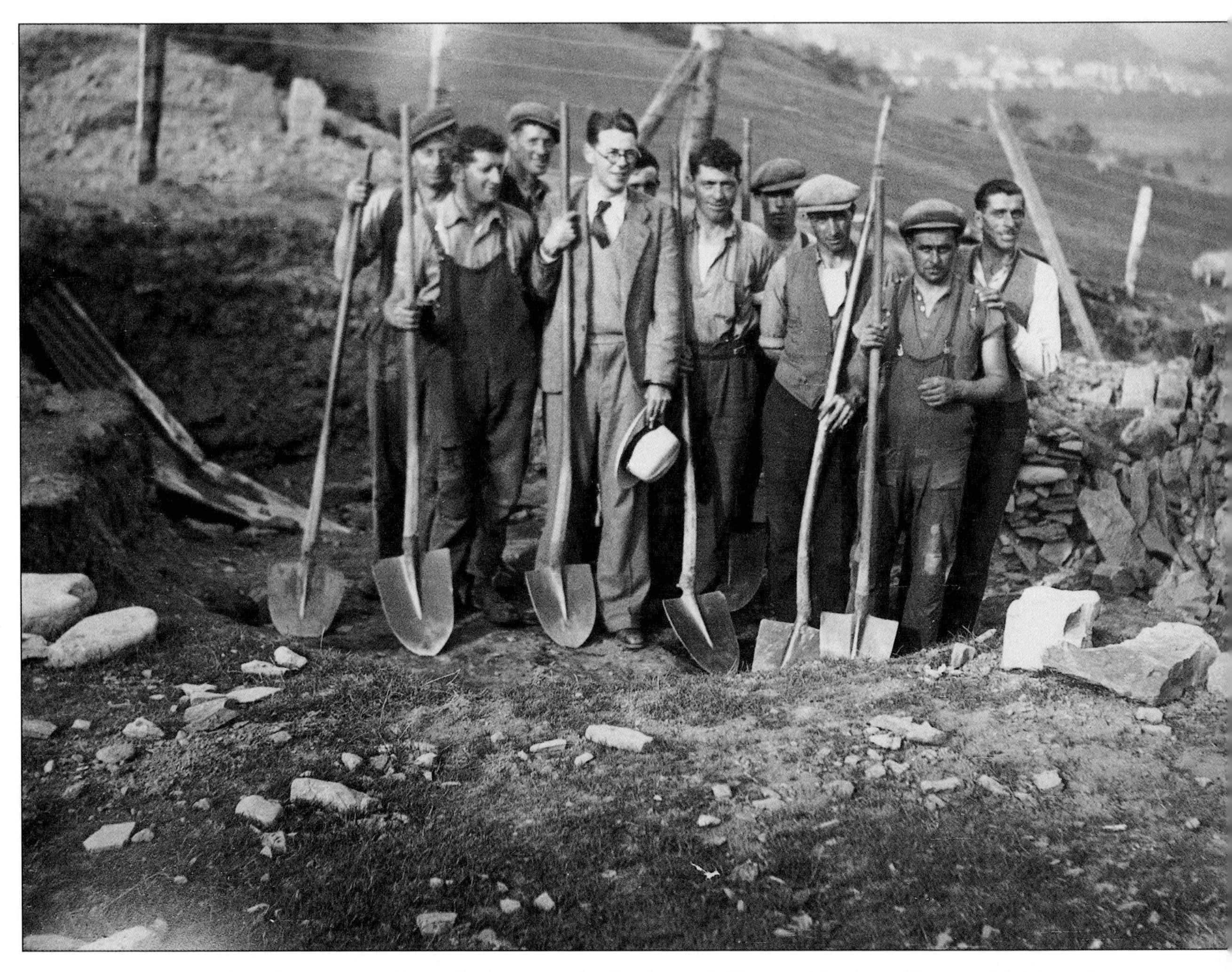

Pen Dinas: diggers at the isthmus gate in 1934. The figure left of centre holding a hat is probably Professor Forde. (Crown Copyright RCAHMW)..

Pendinas: cloddwyr wrth borth y culdir ym 1934. Mae'n fwy na thebyg mai'r ffigur i'r chwith o'r canol, yr un sy'n dal het, yw'r Athro Forde. (Hawlfraint y Goron, Comisiwn Brenhinol Henebion Cymru).

UNCOVERING THE SECRETS OF THE PAST

It is difficult for the modern visitor to understand the remarkable scale and strength of the ancient fortress of Pen Dinas. Its grassy slopes and bracken-covered mounds give little idea of how it once looked before abandonment, subsidence, and collapse began a process of decay that was to bring the hill top to its present state. However, buried beneath the grass and centuries of topsoil are the remains of substantial dry-stone walls and ramparts with wall faces and gateways still partially intact.

DADLENNU CYFRINACHAU'R GORFFENNOL

Mae'n anodd i'r ymwelydd modern ddirnad maint a chadernid aruthrol caer hynafol Pendinas. Nid yw'r llethrau a'r twmpathau, na'r gwair a'r rhedyn sy'n eu gorchuddio, yn rhoi fawr o syniad o'r olwg a oedd arni cyn i'w thrigolion ei gadael a chyn i rannau ohoni suddo a syrthio gan ddechrau'r broses o ddadfeilio a roddodd fod i gyflwr presennol y gaer. Ond o dan y gwair a'r canrifoedd o bridd mae gweddillion muriau a rhagfuriau sylweddol o gerrig sych, ac mewn mannau mae wynebau'r muriau a'r pyrth yn dal i fod yn gyfan.

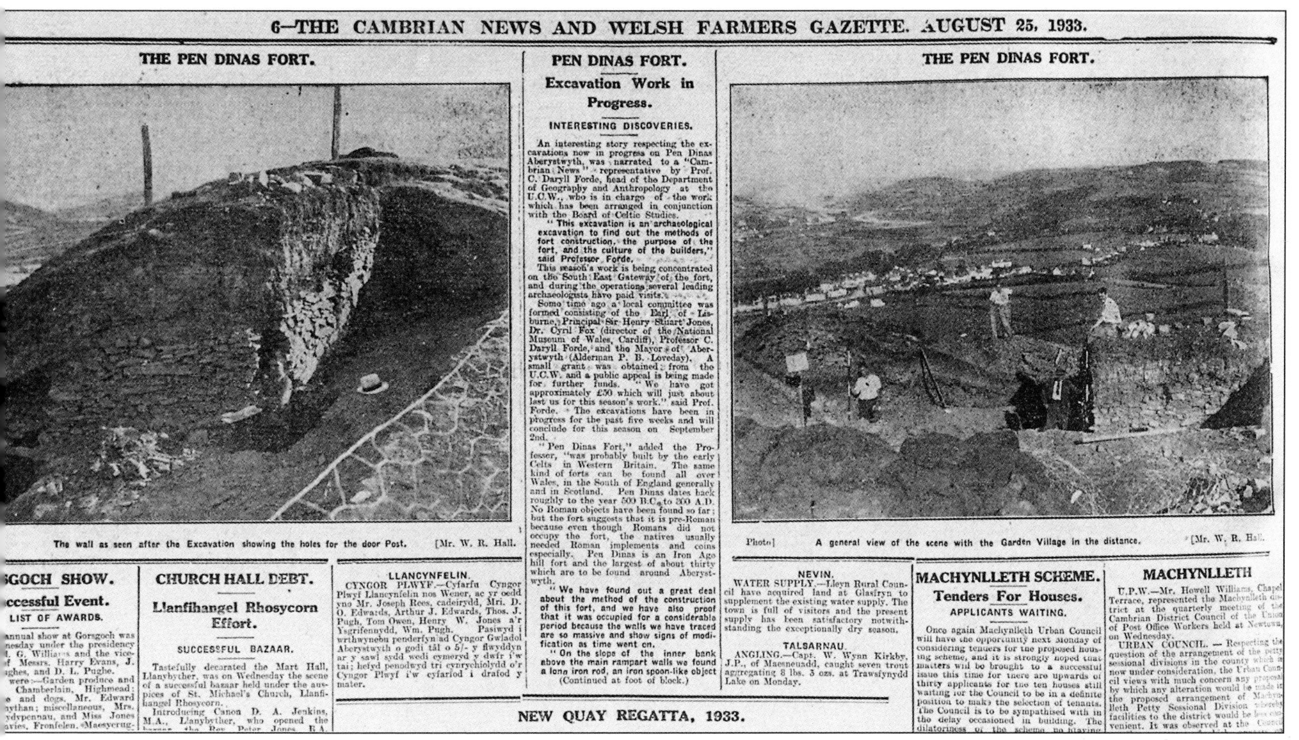

6—THE CAMBRIAN NEWS AND WELSH FARMERS GAZETTE. AUGUST 25, 1933.

THE PEN DINAS FORT.

The wall as seen after the Excavation showing the holes for the door Post. [Mr. W. R. Hall.

PEN DINAS FORT.

Excavation Work in Progress.

INTERESTING DISCOVERIES.

An interesting story respecting the excavations now in progress on Pen Dinas Aberystwyth, was narrated to a "Cambrian News" representative by Prof. C. Daryll Forde, head of the Department of Geography and Anthropology at the U.C.W., who is in charge of the work which has been arranged in conjunction with the Board of Celtic Studies.

"This excavation is an archaeological excavation to find out the methods of fort construction, the purpose of the fort, and the culture of the builders," said Professor Forde.

This season's work is being concentrated on the South East Gateway of the fort, and during the operations several leading archaeologists have paid visits.

Some time ago a local committee was formed consisting of the Earl of Lisburne, Principal Sir Henry Stuart Jones, Dr. Cyril Fox (director of the National Museum of Wales, Cardiff), Professor C. Daryll Forde, and the Mayor of Aberystwyth (Alderman P. B. Loveday). A small grant was obtained from the U.C.W. and a public appeal is being made for further funds. "We have got approximately £30 which will just about last us for this season's work," said Prof. Forde. The excavations have been in progress for the past five weeks and will conclude for this season on September 2nd.

"Pen Dinas Fort," added the Professor, "was probably built by the early Celts in Western Britain. The same kind of forts can be found all over Wales, in the South of England generally and in Scotland. Pen Dinas dates back roughly to the year 500 B.C. to 300 A.D. No Roman objects have been found so far; but the fort suggests that it is pre-Roman because even though Romans did not occupy the fort, the natives usually needed Roman implements and coins especially. Pen Dinas is an Iron Age hill fort and the largest of about thirty which are to be found around Aberystwyth.

"We have found out a great deal about the method of the construction of this fort, and we have also proof that it was occupied for a considerable period because the walls we have traced are so massive and show signs of modification as time went on.

"On the slope of the inner bank above the main rampart walls we found a long iron rod, an iron spoon-like object

(Continued at foot of block.)

THE PEN DINAS FORT.

Photo] A general view of the scene with the Garden Village in the distance. [Mr. W. R. Hall.

GORSGOCH SHOW.

Successful Event.

LIST OF AWARDS.

CHURCH HALL DEBT.

Llanfihangel Rhosycorn Effort.

SUCCESSFUL BAZAAR.

Tastefully decorated the Mart Hall, Llanybyther, was on Wednesday the scene of a successful bazaar held under the auspices of St. Michael's Church, Llanfihangel Rhosycorn.

Introducing Canon D. A. Jenkins, M.A., Llanybyther, who opened the

LLANCYNFELIN.

CYNGOR PLWYF.—Cyfarfu Cyngor Plwyf Llancynfelin nos Wener, ac yr oedd yno Mr. Joseph Rees, cadeirydd, Mri. D. O. Edwards, Arthur J. Edwards, Thos. J. Pugh, Tom Owen, Henry W. Jones a'r Ysgrifennydd, Wm. Pugh. Pasiwyd i wrthwynebu penderfyniad Cyngor Gwladol Aberystwyth o godi tâl o 5/- y flwyddyn ar y sawl sydd wedi cymeryd y dwfr i'w tai; hefyd penodwyd tri cynrychiolydd o'r Cyngor Plwyf i'w cyfarfod i drafod y mater.

NEW QUAY REGATTA, 1933.

NEVIN.

WATER SUPPLY.—Lleyn Rural Council have acquired land at Glasfryn to supplement the existing water supply. The town is full of visitors and the present supply has been satisfactory notwithstanding the exceptionally dry season.

TALSARNAU.

ANGLING.—Capt. W. Wynn Kirkby, J.P., of Maesneuadd, caught seven trout aggregating 8 lbs. 3 ozs. at Trawsfynydd Lake on Monday.

MACHYNLLETH SCHEME.

Tenders For Houses.

APPLICANTS WAITING.

Once again Machynlleth Urban Council will have the opportunity next Monday of considering tenders for the proposed housing scheme, and it is strongly hoped that matters will be brought to a successful issue this time for there are upwards of thirty applicants for the ten houses still waiting for the Council to be in a definite position to make the selection of tenants. The Council is to be sympathised with in the delay occasioned in building. The

MACHYNLLETH

U.P.W.—Mr. Howell Williams, Chapel Terrace, represented the Machynlleth district at the quarterly meeting of the Cambrian District Council of the Union of Post Office Workers held at Newtown, on Wednesday.

URBAN COUNCIL. — Respecting the question of the arrangement of the petty sessional divisions in the county which is now under consideration, the Urban Council views with much concern any proposal by which any alteration would be made in the proposed arrangement of Machynlleth Petty Sessional Division whereby facilities to the district would be less convenient. It was observed at the Council

The first season of excavations at Pen Dinas, as reported in the Cambrian News from August, 1933. (The National Library of Wales).

Tymor cyntaf y cloddio ym Mhendinas, yn ôl adroddiad yn y Cambrian News ym mis Awst, 1933. (Llyfrgell Genedlaethol Cymru).

THE 1930s EXCAVATIONS

Most of what we know about Pen Dinas was learnt during the archaeological excavations carried out on the site between 1933-7. These were directed by

CLODDIADAU'R 1930AU

Daeth y rhan fwyaf o'r hyn a wyddom am Bendinas i'r golwg yn ystod y cloddio archaeolegol a wnaed ar y safle rhwng 1933 a 1937. Cyfarwyddwr y gwaith

Professor Daryll Forde, assisted by teams of local workmen, and employed the best techniques of the day. Using a series of narrow 'slit' trenches, with wider trenches opened where wall-lines were found, complicated sequences of gateways, ramparts and re-builds were uncovered and recorded. The excavations were written up in the 1960s by W. E. Griffiths, A. H. A. Hogg and C. H. Houlder of the Royal Commission on the Ancient and Historical Monuments of Wales, Aberystwyth. Their report, published in Archaeologia Cambrensis for 1963, remains the standard source for the site.

oedd yr Athro Daryll Forde. Cafwyd cymorth timau o weithwyr lleol a defnyddiwyd technegau gorau'r oes. Gan ddefnyddio cyfres o rychau cul yn 'agennau' ac agor rhychau ehangach os ceid hyd i linellau'r muriau, dinoethwyd a chofnodwyd dilyniannau cymhleth o byrth, gwrthfuriau a gwaith ailadeiladu. Lluniwyd disgrifiadau ysgrifenedig o'r gwaith cloddio yn y 1960au gan W.E. Griffiths, A.H.A. Hogg a C.H. Houlder o Gomisiwn Brenhinol Henebion Cymru, Aberystwyth, a'u hadroddiad hwy, a gyhoeddwyd yn Archaeologia

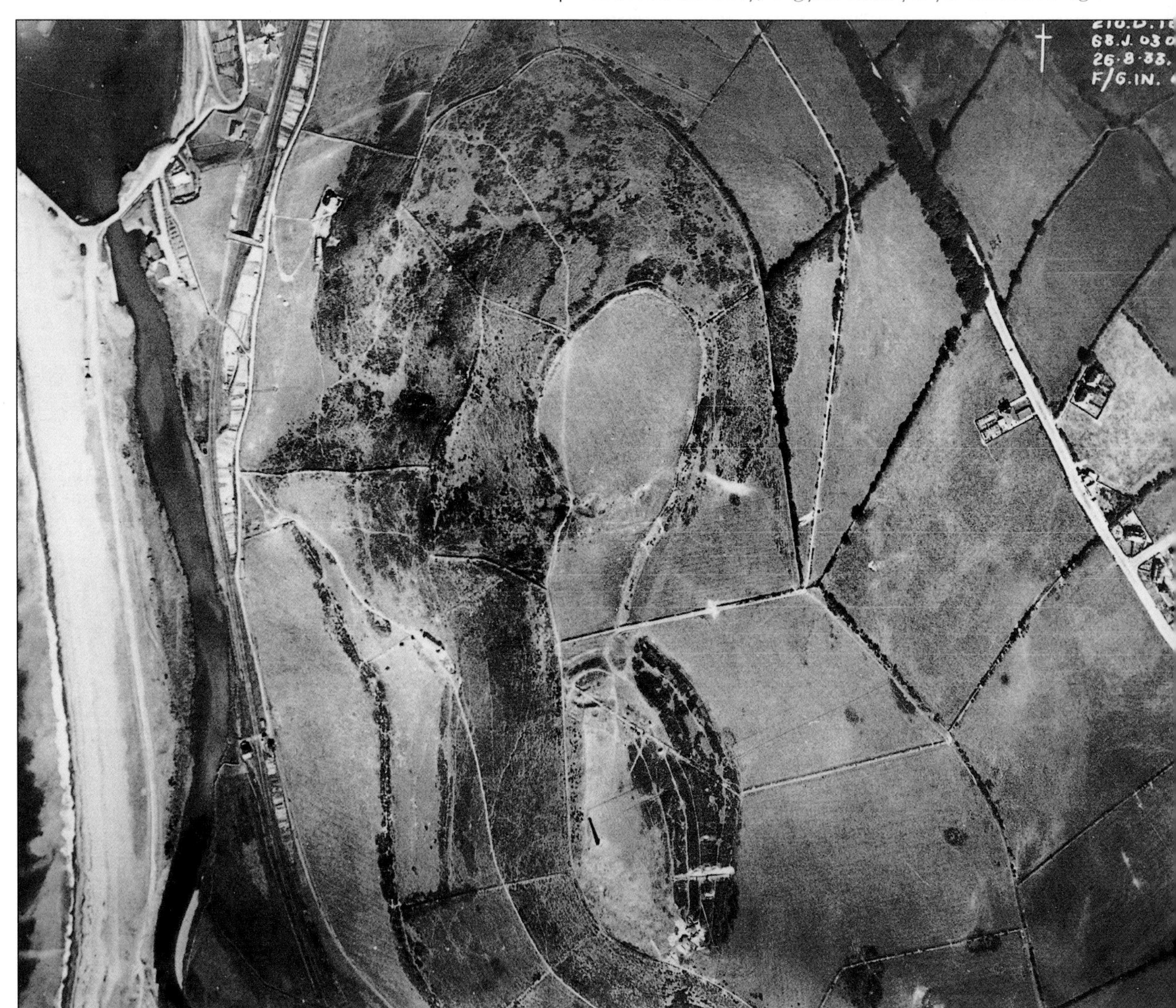

A LONG-LIVED FORTRESS

Professor Daryll Forde's excavations revealed that Pen Dinas was a long-lived site, perhaps occupied on and off for 300 years between the later Iron Age (ca.300BC) and the birth of Christ. Very few potsherds or artefacts were found during the excavations to enable us to give dates for the construction and abandonment of the fort, and there are many unanswered questions about the way the hill-fort changed and was re-built during its lifetime. These problems can only be solved by a future programme of excavation. However, we can go some way towards reconstructing the history of the site.

The hill of Pen Dinas has two summits, a lower, broader summit to the north, and a higher, more narrow summit to the south. These are linked by a saddle of lower ground known as the isthmus. The fort started life as a simple defended site on the north summit, enclosed by a rampart of packed rubble and an outer ditch (Phase I). Some years later, after the first was abandoned, a new fort was built on the higher summit to the south with elaborate gates and a substantial stone-walled rampart with an outer ditch (Phase II). After some time, this fort fell into partial ruin while parts of it were burnt. The fine south gateway collapsed and became forgotten and overgrown. Later, the south fort was re-occupied with new defences built and old ones extensively repaired (Phase III). Finally, additional ramparts were constructed across the isthmus linking both summits, together with a new main gate (Phase IV). At its height (in the last

Vertical aerial photograph of Pen Dinas taken on the 26th August 1933, during the first season of excavations of the south gate and defences of the south fort. The excavation trenches can be seen, centre bottom, as can the shadow cast by the Wellington Monument. The line of the Manchester and Milford Railway passes by the west (coastal) side of the hill, lined with allotments. This very early photograph, probably taken by 210 squadron based at Pembroke Dock, is one of the earliest aerial photographs held in the National Monuments Record of Wales. (Crown Copyright 1933/MOD)

Cambrensis ar gyfer 1963, yw'r ffynhonnell safonol o hyd ar gyfer y safle hwn.

OES FAITH Y GAER

Datgelodd cloddiadau'r Athro Daryll Forde fod Pendinas yn gaer a gawsai oes faith, a bod pobl wedi byw ynddi o bryd i'w gilydd, ac efallai am 300 mlynedd, rhwng diwedd yr Oes Haearn (tua 300 CC) a geni Crist. Prin iawn oedd y teilchion neu'r gwrthrychau y cafwyd hyd iddynt yn ystod y cloddio ac a fyddai'n fodd i ni gynnig dyddiadau ar gyfer codi'r gaer ar adeg y gadawyd iddi fynd rhwng y cŵn a'r brain. Mae llawer cwestiwn o hyd ynghylch sut y newidiwyd ac yr ailgodwyd y fryngaer yn ystod ei hoes faith, ac ni ddatrysir y problemau hynny tan y cloddir yno eto. Serch hynny, gallwn fynd beth ffordd tuag at ail-greu hanes y safle.

Mae i fryn Pendinas ddau gopa, sef y copa is a lletach tua'r gogledd a'r copa uwch a chulach tua'r de. Trum o dir is, a elwir yn guldir, sy'n cysylltu'r ddau. Ar ddechrau ei hoes, safle amddiffynedig syml ar y copa gogleddol oedd y gaer, ac o'i hamgylch yr oedd rhagdir o rwbel wedi'i gywasgu ac yna ffos allanol (Cyfnod I). Rai blynyddoedd yn ddiweddarach, ar ôl i'r trigolion roi'r gorau i'r gaer gyntaf, codwyd caer newydd ar y copa uwch tua'r de, ac yr oedd i honno gatiau cywrain, rhagfur sylweddol o gerrig, a ffos allanol (Cyfnod II). Ymhen tipyn, aeth rhan o'r gaer honno â'i phen iddi, a llosgwyd rhannau ohoni. Syrthiodd porth trawiadol y de, anghofiwyd amdano a daeth y gwair i dyfu drosto. Yn ddiweddarach, ailfeddiannwyd y gaer ddeheuol, codwyd amddiffynfeydd newydd iddi

Awyrlun fertigol o Bendinas, a dynnwyd ar 26ain Awst 1933, yn ystod tymor cyntaf y cloddio ar borth y de ac amddiffynfeydd caer y de. Gellir gweld y ffosydd cloddio yn y canol ar y gwaelod, a hefyd gysgod Cofeb Wellington. Mae lein Rheilffordd Manceinion a Milffwrd yn rhedeg ar hyd ochr orllewinol y bryn (ochr yr arfordir), ac mae rhes o randiroedd ar hyd-ddi. Ffotograff cynnar iawn yw hwn ac fe'i tynnwyd, mae'n debyg, gan sgwadron 210, sgwadron a hedfanai o Ddoc Penfro. Dyma un o'r awyrluniau cynharaf sydd gan Gofnod Henebion Cenedlaethol Cymru. (Hawlfraint y Goron 1933/Y Weinyddiaeth Amddiffyn).

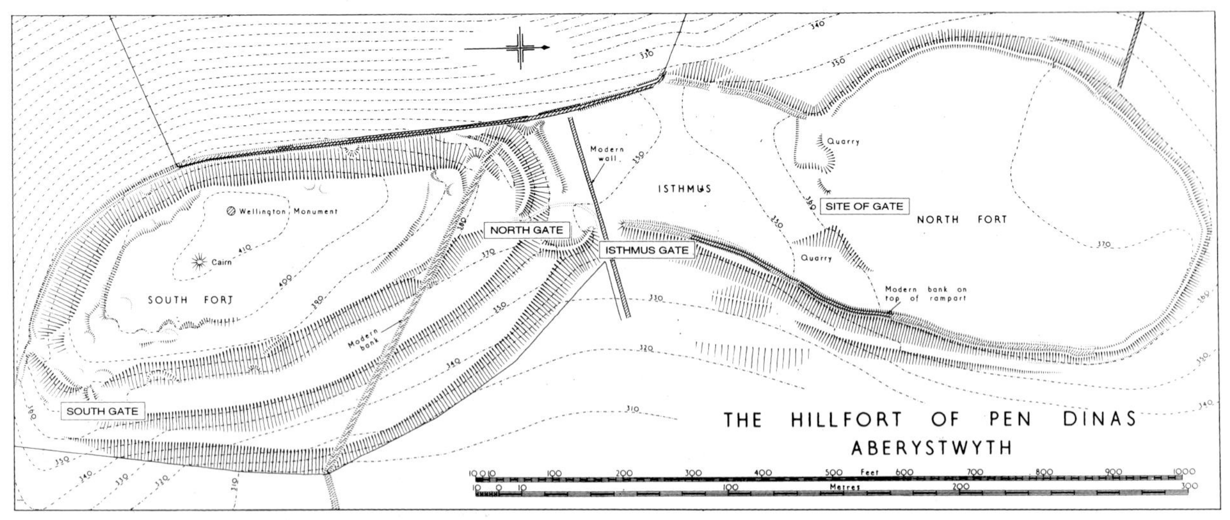

Pen Dinas: plan of the hill-fort.
(Crown Copyright RCAHMW).

Pendinas: cynllun y fryngaer.
(Hawlfraint y Goron, Comisiwn Brenhinol Henebion Cymru).

decades before Christ), Pen Dinas was a masterpiece of Iron Age architecture and engineering. The stone-walled isthmus gate stood as high as a two-storey building and was crossed by a wooden bridge supported on four massive timber posts.

DEFENDING THE HILL TOP - PHASE I

The earliest fort occupied the lower, northern summit. It was protected by an outer ditch, varying in profile from V-shaped to broad and flat-bottomed, possibly the result of gang-work by separate teams of workers. Inside was a single rampart of packed rubble, faced externally with a wooden palisade (a wall of upright stakes) set in a shallow trench. The main gate at the west was a simple gap reinforced with in-turned dry-stone walls. After this first fort fell into disrepair, it appears not to have been re-occupied until the isthmus defences were built in Phase IV.

THE NEW SOUTH FORT - PHASE II

After an unknown time, work began on the south fort, on a higher and stronger ridge naturally protected by steep slopes along the western

ac atgyweiriwyd llawer ar yr hen rai (Cyfnod III). Yn olaf, codwyd rhagfuriau ychwanegol ar draws y culdir sy'n cysylltu'r ddau gopa, ynghyd â phrif borth newydd (Cyfnod IV). Ar ei anterth (yn ystod y degawdau olaf cyn Crist), yr oedd Pendinas yn gampwaith o bensaernïaeth a pheirianneg yr Oes Haearn. Yr oedd porth cerrig y culdir mor uchel ag adeilad deulawr ac fe'i croesid gan bont bren a safai ar ben pedwar postyn enfawr.

AMDDIFFYN PEN Y BRYN - CYFNOD I

Ar y copa isaf tua'r gogledd y codwyd y gaer gynharaf. Fe'i hamddiffynnid gan ffos allanol a amrywiai o ran ei siâp o siâp V i ffos eang a gwastad ei gwaelod a hynny, efallai, am ei bod yn waith gwahanol dimau o weithwyr. Y tu mewn iddi yr oedd rhagfur unigol o rwbel wedi'i gywasgu, a'r tu allan iddi balisâd (mur o staciau unionsyth o bren) a gawsai ei godi mewn ffos fas. Bwlch syml a atgyfnerthwyd â muriau o gerrig sych a oedd yn troi i mewn oedd y prif borth gorllewinol. Ar ôl i'r gaer gyntaf honno ddadfeilio, mae'n debyg na fu neb yn byw ynddi tan y codwyd amddiffynfeydd y culdir yn ystod cyfnod IV.

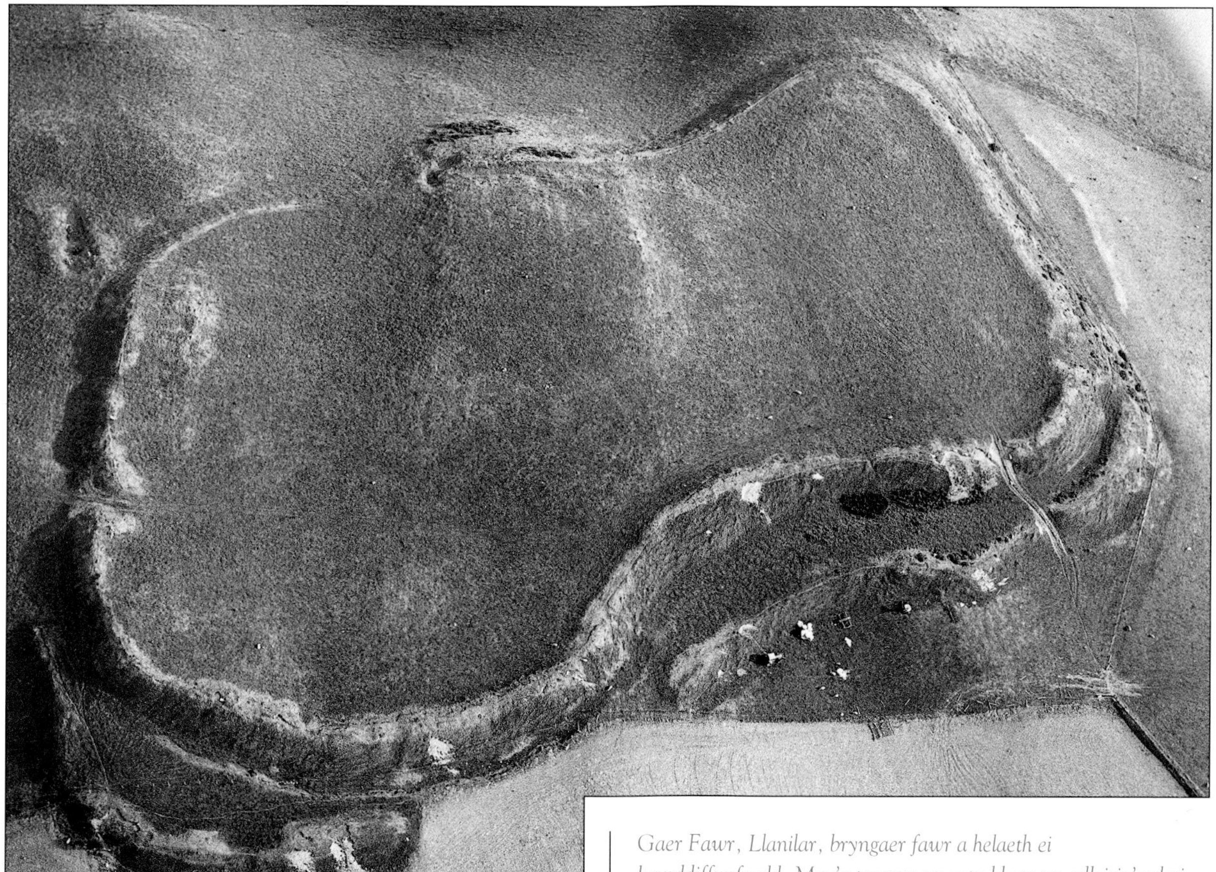

Gaer Fawr, Llanilar, bryngaer fawr a helaeth ei hamddiffynfeydd. Mae'r terasau yn y tu blaen yn adleisio'r rhai ym Mhendinas, Aberystwyth. (Hawlfraint y Goron, Comisiwn Brenhinol Henebion Cymru).

Gaer Fawr, Llanilar, a large and well-defended inland hill-fort. The terraces in the foreground echo those at Pen Dinas, Aberystwyth. (Crown Copyright RCAHMW).

(seaward) side. Along the south and east sides, enormous terraced ramparts were built faced with 'slab' walling of local shale stones, topped with a rampart walk of compacted stone and clay. Even today the eastern terraces dwarf the modern visitor. Their size is even more remarkable considering they were built without metal tools. Layers of earth and solid rock would have been quarried by hand with bone tools, (animal shoulder-blades to scoop and antlers to lever stones), while rubble was carried away in wicker baskets.

CAER NEWYDD Y DE - CYFNOD II

Ymhen tipyn, ond ni wyddom faint, dechreuwyd codi caer y de ar gefnen uwch a chryfach a amddiffynnid gan lethrau serth yr ochr orllewinol (tua'r môr). Ar hyd ochrau'r de a'r gorllewin, codwyd terasau anferth yn rhagfuriau a'u hwynebu â cherrig siâl lleol. Ar ben y rhagfur ceid rhodfa o gerrig a chlai wedi'u cywasgu. Hyd yn oed heddiw, mae'r terasau dwyreiniol yn codi ymhell uwchlaw'r ymwelydd. Maent gymaint â hynny'n fwy trawiadol o ystyried iddynt gael eu codi heb offer metel. Byddai haenau o bridd a chraig wedi'u codi â llaw ag arfau o esgyrn (pontydd ysgwyddau anifeiliaid i godi'r pridd a chyrn ceirw i symud y cerrig), a châi'r rwbel ei gludo ymaith mewn basgedi.

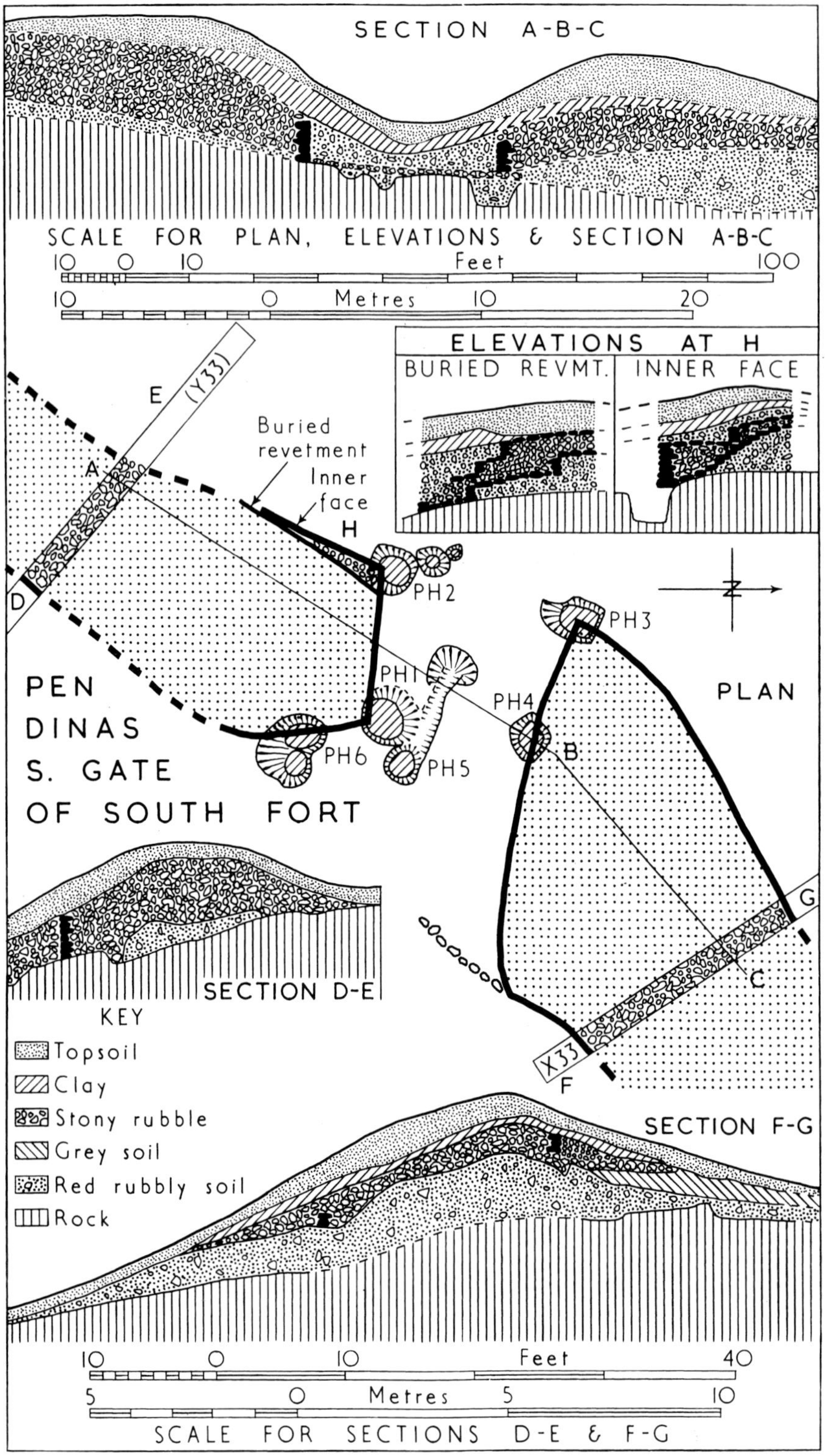

Pen Dinas: plan of the south gate of the south fort by W. E. Griffiths, from the 1963 excavation report. (Crown Copyright RCAHMW).

Pendinas: plan o borth deheuol caer y de gan W. E. Griffiths, o adroddiad cloddio 1963. (Hawlfraint y Goron, Comisiwn Brenhinol Henebion Cymru).

TOWERING GATEWAYS TO THE NORTH AND SOUTH

Two impressive gates were built to the north and south. Both were narrow, stone-walled passageways piercing the ramparts and entered by surfaced roadways. The builders understood the terrain and positioned both gates on naturally high ridges, to tower over the heads of visitors as they approached. Inside, two pairs of massive posts, up to 0.92m in diameter, supported timber bridges carrying the rampart walk.

At the north gate, a 5.8m wide and 3.05m long gateway passage kinked around to the left in a ploy to slow down and confuse attackers. Approaching the gate on a surfaced roadway, the visitor passed between rock-cut flanking ditches, between 2.44m and 3.05m deep. The ditches were separated from the track by short lengths of timber palisade, possibly a device to stop livestock falling into the ditches when being herded in and out of the gate during peaceful times.

PEN DINAS FALLS ON HARD TIMES

At some point, the south fort fell into disrepair and the once fine south gate became ruinous. There is also evidence that the wooden defences on top of the rampart around the north gate were burnt. It may be that the fort was sacked during a raid, but it is more likely that in a difficult economic situation a declining population could not maintain the defences. Without a large, dedicated workforce and a charismatic leader, it would have been difficult to repair collapsed walls, dig out in-filled ditches and put out sporadic fires in dry summers. However, there were better times ahead for the fort.

THE SOUTH FORT REBUILT - PHASE III

After an interval, the defences of the south fort were rebuilt and remodelled, possibly under the direction of a new chieftain. The terraces along the east of the fort may have been enlarged during this time. The earlier south gate was rescued and rebuilt on a

PYRTH ENFAWR I'R GOGLEDD A'R DE

Codwyd dau borth trawiadol i'r gogledd a'r de. Yr oedd y ddau'n gul ac iddynt furiau o gerrig, ac yr oedd arwyneb ar y ffyrdd a âi drwyddynt. Gan fod yr adeiladwyr yn deall natur y tir, codwyd y ddau borth ar ddwy gefnen uchel er mwyn iddynt fagu parchedig ofn yn y rhai a ddynesai atynt. Y tu mewn iddynt, yr oedd dau bâr o byst enfawr, hyd at 0.92m mewn diamedr, a oedd yn cynnal y pontydd pren yr âi llwybr y rhagfuriau drostynt.

Ym mhorth y gogledd, yr oedd y llwybr 5.8m o led a 3.05m o hyd yn troi'n gyfrwys i'r chwith er mwyn arafu a drysu unrhyw ymosodwyr. Wrth ddod at y porth ar hyd arwyneb y ffordd, fe gerddai'r ymwelydd drwy ffosydd ystlys a oedd wedi'u torri rhwng 2.44m a 3.05m i'r graig. Rhwng y llwybr a'r ffosydd ceid darnau byr o balisâd pren a oedd, efallai, yn ddyfais i atal da byw rhag syrthio i'r ffosydd wrth iddynt gael eu hebrwng i mewn ac allan drwy'r porth yn ystod cyfnodau o heddwch.

DYDDIAU BLIN YM MHENDINAS

Rywbryd neu'i gilydd, fe ddadfeiliodd y gaer ddeheuol ac aeth porth gwych y de â'i ben iddo. Ceir tystiolaeth hefyd i'r amddiffynfeydd pren ar ben y rhagfur o amgylch porth y gogledd gael eu llosgi. Efallai i'r gaer gael ei hanrheithio yn ystod cyrch, ond mae'n fwy tebygol mai'r sefyllfa economaidd anodd a barodd i'r boblogaeth brinhau ac i'r trigolion fethu â gofalu am yr amddiffynfeydd. Heb weithlu helaeth ac ymroddedig ac arweinydd carismatig, byddai hi wedi bod yn anodd iddynt atgyweirio'r muriau, ailgloddio'r ffosydd a diffodd mân danau yma ac acw yn ystod yr hafau sych. Ond fe ddeuai haul ar y bryn hwn eto fyth.

AILGODI CAER Y DE - CYFNOD III

Ymhen tipyn, fe ailgodwyd ac ailffurfiwyd amddiffynfeydd caer y de, a hynny efallai o dan gyfarwyddyd pendefig newydd. Hwyrach mai yn ystod y cyfnod hwnnw yr ehangwyd y terasau ar hyd ochr ddwyreiniol y gaer. Achubwyd hen borth y de a'i ailgodi yn ôl patrwm gwahanol, gan osod pedwar

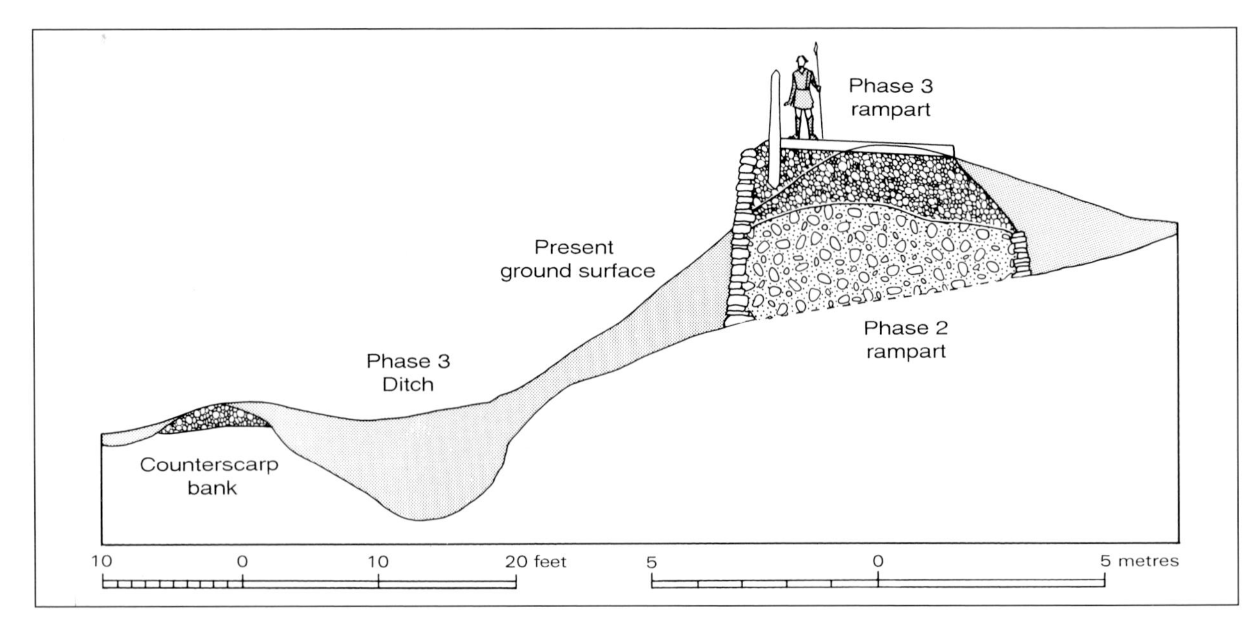

Pen Dinas: reconstructed section through the north rampart of the south fort, showing the original scale of the defences. (Crown Copyright RCAHMW).

Pendinas: toriad a adluniwyd drwy ragfur gogleddol caer y de, gan ddangos graddfa wreiddiol yr amddiffynfeydd.. (Hawlfraint y Goron, Comisiwn Brenhinol Henebion Cymru).

different plan, with an impressive structure of four posts supporting a crossing bridge. Evidence from the excavations suggests this bridge was floored with a thick layer of clay. The new, asymmetrical, design of the south gate was dramatic. It featured a curving hornwork jutting out on the north side, providing a platform with an excellent field of view over the southern approaches.

Probably during the same phase of works, the north gate and its outer rampart were rebuilt and remodelled. One of the ditches was filled in and a new one dug to the west. The crossing bridge was enlarged with new timber supporting-posts, and a formidable curving wall was added to the front of the rampart, thickening it to just under 8m. The curving wall, overlooking the right-hand side of the main north gate, was designed to force attackers to approach with their unshielded right arm vulnerable to attack from rocks and other missiles. The construction of a buttress or hornwork in this position, to exploit the weaknesses of attacking foot-soldiers, has parallels at some of the largest hill-forts in Britain, like Danebury in Wessex.

postyn cadarn i gynnal y bont a'i croesai. Mae tystiolaeth o'r gwaith cloddio yn awgrymu bod haen drwchus o glai wedi'i gosod dros lawr y bont honno. Yr oedd cynllun newydd ac anghymesur porth y de yn ddramatig. Ar ei ochr ogleddol, yr oedd cyrn crwn ar ffurf llwyfan lle ceid golygfa ragorol dros y tir tua'r de.

Mae'n fwy na thebyg mai yn ystod yr un cyfnod yr ailgodwyd ac yr ailbatrymwyd porth y gogledd a'i ragfur allanol. Llanwyd un o'r ffosydd a chloddiwyd un newydd i'r gorllewin ohoni. Ehangwyd y bont groesi gan ddefnyddio pyst cynnal newydd o bren, ac ychwanegwyd mur crwn nodedig at du blaen y rhagfur gan gynyddu ei ddyfnder i ychydig o dan 8m. Diben cynllun y mur crwn, a edrychai allan ar ochr dde prif borth y gogledd, oedd gorfodi ymosodwyr i ddod ato ar osgo a olygai nad oedd eu tarianau'n amddiffyn eu breichiau de a bod modd, felly, ymosod arnynt â chreigiau a thaflegrau eraill. Mae codi bwtres neu waith cyrn o'r fath i fanteisio ar wendidau'r milwyr troed wrth iddynt ymosod yn debyg i'r hyn a geir yn rhai o'r bryngaerau mwyaf ym Mhrydain, fel yn Danebury yn Wessex.

The work of these new builders was characterised by boulder walling, rather than the slab walling of earlier phases, possibly representing a new tradition. However, they were not master-builders. Traces of buttresses and props built at the foot of some of the walls show that the rampart may have needed shoring up and repairing under the constant threat of subsidence or collapse.

Nodweddid gwaith yr adeiladwyr newydd gan furiau a godid o glogfeini yn hytrach nag o'r llechfeini a ddefnyddid gynt. Mae'n bosibl mai traddodiad newydd oedd hwn. Er hynny, nid adeiladwyr meistrolgar oedd y bobl hyn. Mae olion y bwtresi a'r propiau a godwyd wrth waelod rhai o'r muriau yn dangos y gallasai fod angen cyfnerthu ac atgyweirio'r rhagfur am fod bygythiad cyson iddynt suddo neu gwympo.

Pen Dinas: a fine Iron Age rampart wall exposed by the 1930s excavations. (Crown Copyright RCAHMW).

Pendinas: rhagfur gwych o'r Oes Haearn a ddinoethwyd gan y cloddio yn ystod y 1930au. (Hawlfraint y Goron, Comisiwn Brenhinol Henebion Cymru).

THE ISTHMUS DEFENCES - PHASE IV

At some time during or after the Phase III remodelling of the south fort, a decision was made to enclose the whole hilltop by building solid defences across the narrow isthmus, re-fortifying the abandoned first north fort and strengthening the whole defensive circuit. The isthmus gate underwent a series of changes over a short period. It started life as a 12m-wide gap in the rampart, before three episodes of narrowing resulted in a 3m-4m wide passage closed by gates. This was fronted by a sweeping rampart wall standing 4.27m high, equivalent to a modern two-storey building. It was built poorly however, constructed in stages and sloping steeply back to prevent collapse. The enclosed isthmus may have acted as a place for trading or public meetings, secure within its defences and further protected from the main south fort by the strong north gate.

AMDDIFFYNFEYDD Y CULDIR - CYFNOD IV

Wrth ailbatrymu caer y de yn ystod Cyfnod III neu ar ôl hynny, penderfynwyd amgáu'r cyfan o ben y bryn drwy godi amddiffynfeydd cadarn ar draws y culdir, codi caer o'r newydd ar safle hen gaer y gogledd a chryfhau'r holl gylch o amddiffynfeydd. Dros gyfnod byr gwnaed cyfres o newidiadau i borth y culdir. Ar y cychwyn, bwlch 12m o led yn y rhagfur ydoedd, ond canlyniad ei gulhau deirgwaith oedd creu bwlch 3m-4m o led a chlwydi ynddo. O'i flaen yr oedd rhagfur a oedd bron 4½m o uchder, sef mor uchel ag adeilad deulawr heddiw. Ond gwael oedd ei adeiladwaith, ac fe'i codwyd fesul cam ac yr oedd iddo oledd serth i'w atal rhag cwympo. Efallai i'r culdir hwnnw o fewn yr amddiffynfeydd fod yn lle masnachu neu'n fan i bobl gyfarfod, a bod porth cryf y gogledd yn ei amddiffyn ymhellach rhag prif gaer y de.

Pen Dinas: general view of the excavation of the isthmus and north gate, probably in 1934 with parties of visitors, and the Wellington Monument beyond. (Crown Copyright RCAHMW).

Pendinas: llun cyffredinol o'r cloddio ar y culdir ac wrth borth y gogledd, ym 1934 mae'n debyg, gyda phartïon o ymwelwyr, a Chofeb Wellington y tu hwnt iddynt. (Hawlfraint y Goron, Comisiwn Brenhinol Henebion Cymru).

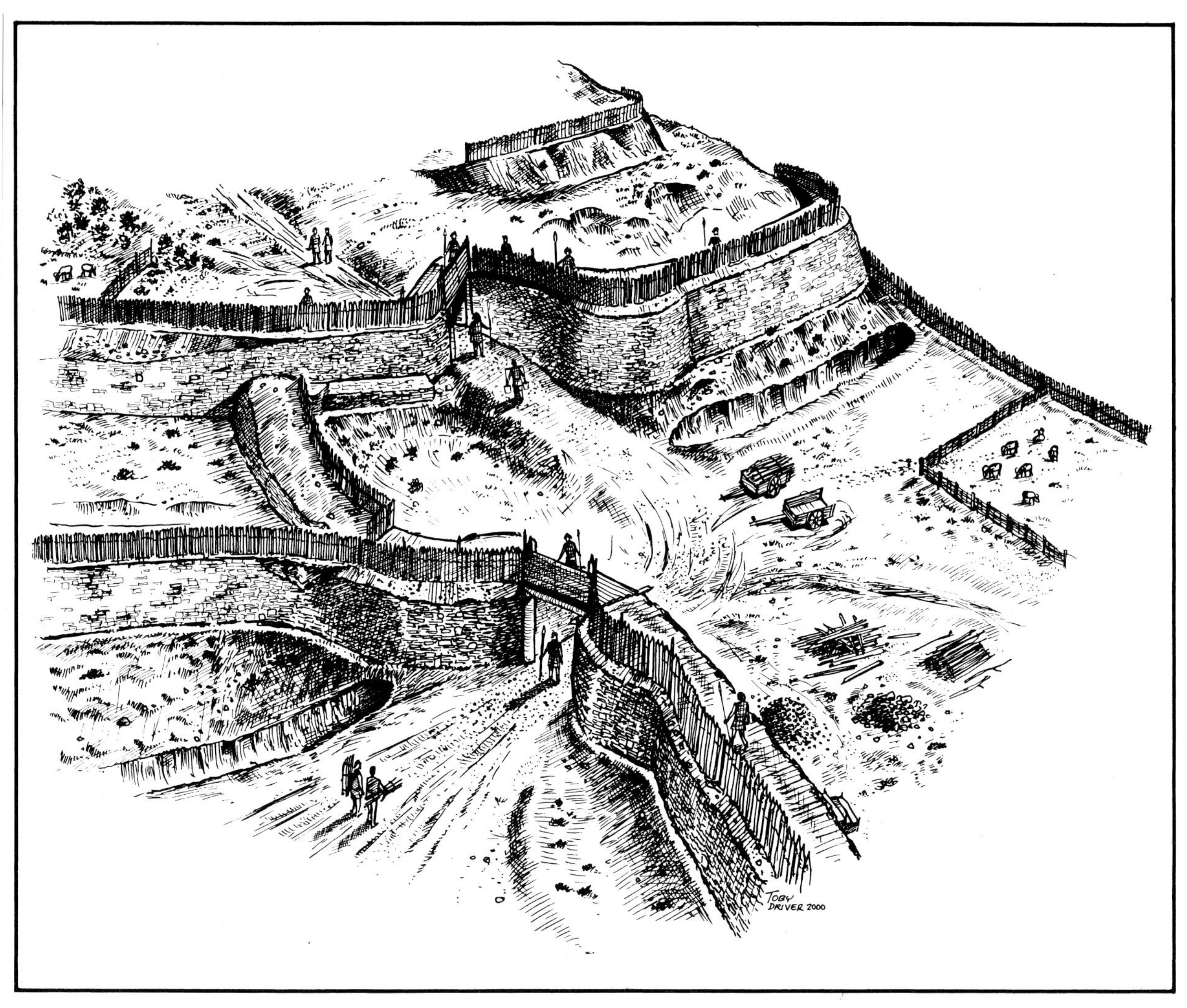

Pen Dinas: reconstruction from the north-east of the isthmus gateway (foreground), and the north gate of the south fort, at their maximum extent ca.50 BC. (T.G. Driver).

Pendinas: adluniad, o'r gogledd-ddwyrain, o borth y culdir (yn y tu blaen) a phorth gogleddol caer y de, pan oeddent ar eu helaethaf tua 50 CC. (T.G. Driver).

PREHISTORIC HOUSES INSIDE THE SOUTH FORT

Although the inside of the south fort was ploughed in historic times, the sites of about a dozen prehistoric round houses can still be seen. These take the form of circular or D-shaped scoops, cut into the bedrock to provide a level platform for building. Several of these 'hut platforms' can be made out in the southern half of the south fort,

Y TAI CYNHANESYDDOL Y TU MEWN I GAER Y DE

Er i'r tir y tu mewn i gaer y de gael ei droi yn ystod y cyfnod hanesyddol, gellir dal i weld safleoedd rhyw ddwsin o dai crwn cynhanesyddol yno. Maent ar ffurf crafbantiau cylchog neu rai ac iddynt siâp D, a'r rheiny wedi'u torri i wely'r graig i greu llwyfan gwastad i adeiladu arno. Gellir canfod sawl un o'r 'llwyfannau cytiau' hyn yn hanner deheuol caer y

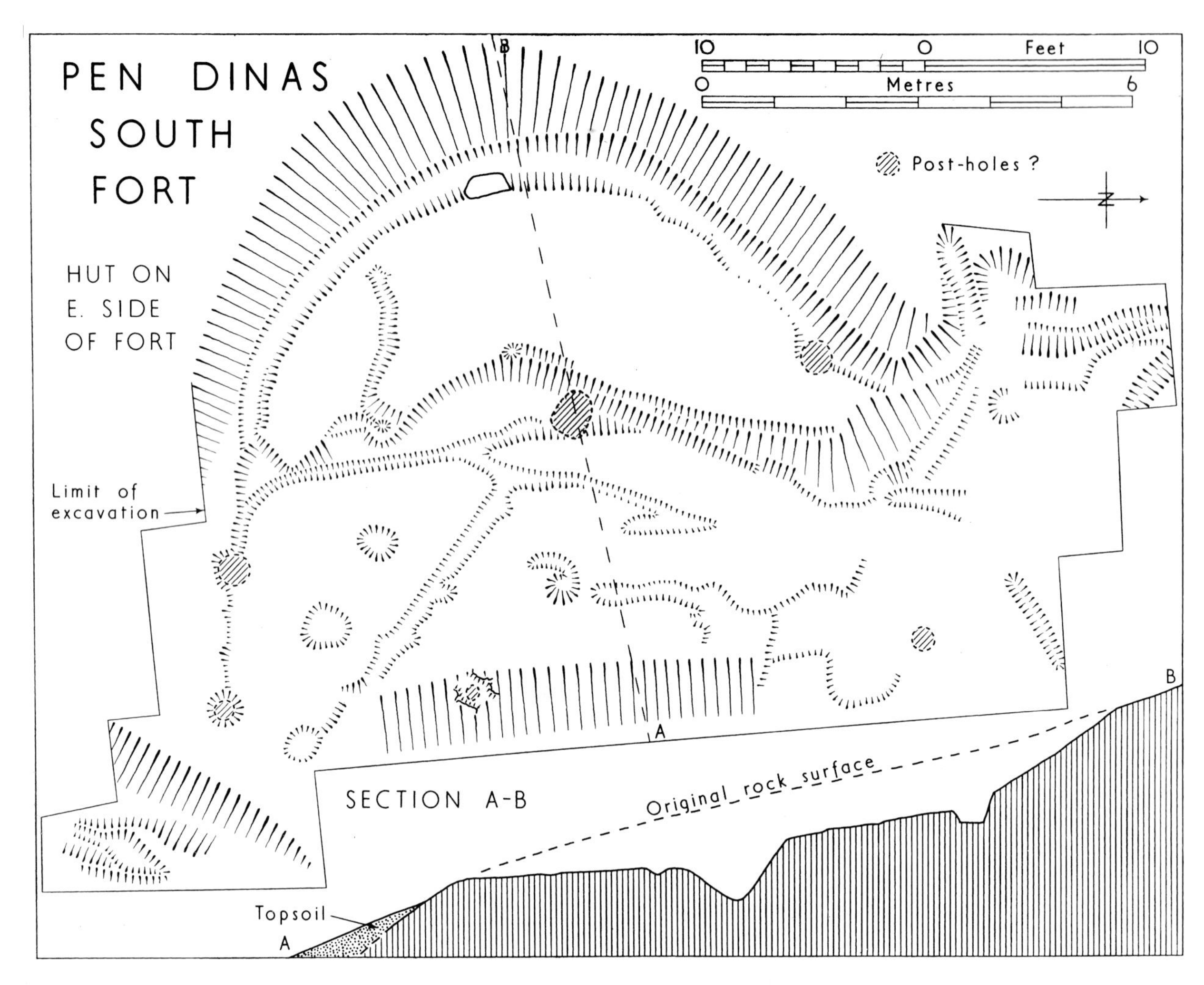

Pen Dinas: plan of an excavated D-shaped house from the 1963 excavation report. (Crown Copyright RCAHMW).

Pendinas: cynllun tŷ ar ffurf D a gloddiwyd, o adroddiad cloddio 1963. (Hawlfraint y Goron, Comisiwn Brenhinol Henebion Cymru).

clustered around the south gate. One particularly deeply cut platform, on the eastern slopes of the south fort, was excavated between 1933-7 (Site (3) on the short tour). The diggers found an unusual, D-shaped building, with a curving rear half and a straight facade at the front. A deep gutter cut in the rock probably held an upright wall of timbers and there were traces of a shallow hearth or fireplace inside the structure. The sites of other buildings, which lacked rock-cut foundations, may have been lost when the fort was ploughed.

de, a'r rheiny wedi'u clystyru o amgylch porth y de. Cafodd un llwyfan sydd wedi'i dorri'n arbennig o ddwfn ar ochr ddwyreiniol caer y de ei gloddio ym 1936 (Safle (3) ar y daith fer). Daeth y cloddwyr o hyd i adeilad anarferol ar ffurf D, ac iddo hanner cefn crwm a ffasâd syth yn ei du blaen. Mae'n fwy na thebyg bod cafn dwfn a dorrwyd yn y graig yn dal mur unionsyth o bren, a chafwyd olion aelwyd neu le tân bas y tu mewn i'r adeilad. Efallai i safleoedd yr adeiladau eraill, a oedd heb sylfeini a gawsai eu torri i'r graig, fynd ar goll pan drowyd tir y gaer.

It is likely that the round houses at Pen Dinas provided enough accommodation for year-round occupation on the site, although in peaceful times temporary huts may have been built outside the defences, on the level grassy hill slopes to the east. The widely-spaced terraces of the eastern ramparts may also have been used for huts, workshops or for the siting of wooden pens for livestock.

A MARVEL OF PREHISTORIC ARCHITECTURE

When we visit Pen Dinas today, we must cast our minds back to the achievement this fort must have represented when the ramparts were new and the interior was alive with huts and the smells and noise of people and animals. We know of no other fort as big as Pen Dinas between present-day Cardigan in

Mae'n debyg bod y tai crwn ym Mhendinas yn darparu digon o le i bobl fyw ar y safle ar hyd y flwyddyn, ond yn ystod y cyfnodau o heddwch mae'n bosibl bod cytiau wedi'u codi dros dro y tu allan i'r amddiffynfeydd ar y llethrau gwastad tua'r dwyrain. Gan fod bylchau mawr rhwng terasau'r rhagfuriau gorllewinol, efallai fod y bobl wedi codi cytiau, gweithdai neu lociau pren i gadw da byw ar y tir hwnnw.

ENGHRAIFFT RYFEDDOL O BENSAERNÏAETH GYNHANESYDDOL

Wrth ymweld â Phendinas heddiw, rhaid i ni geisio dychmygu cymaint o gamp oedd y gaer hon pan oedd ei rhagfuriau'n newydd a'i thu mewn yn llawn o gytiau ac o sŵn ac aroglau pobl ac anifeiliaid. Ni wyddom am yr un gaer arall mor fawr â Phendinas

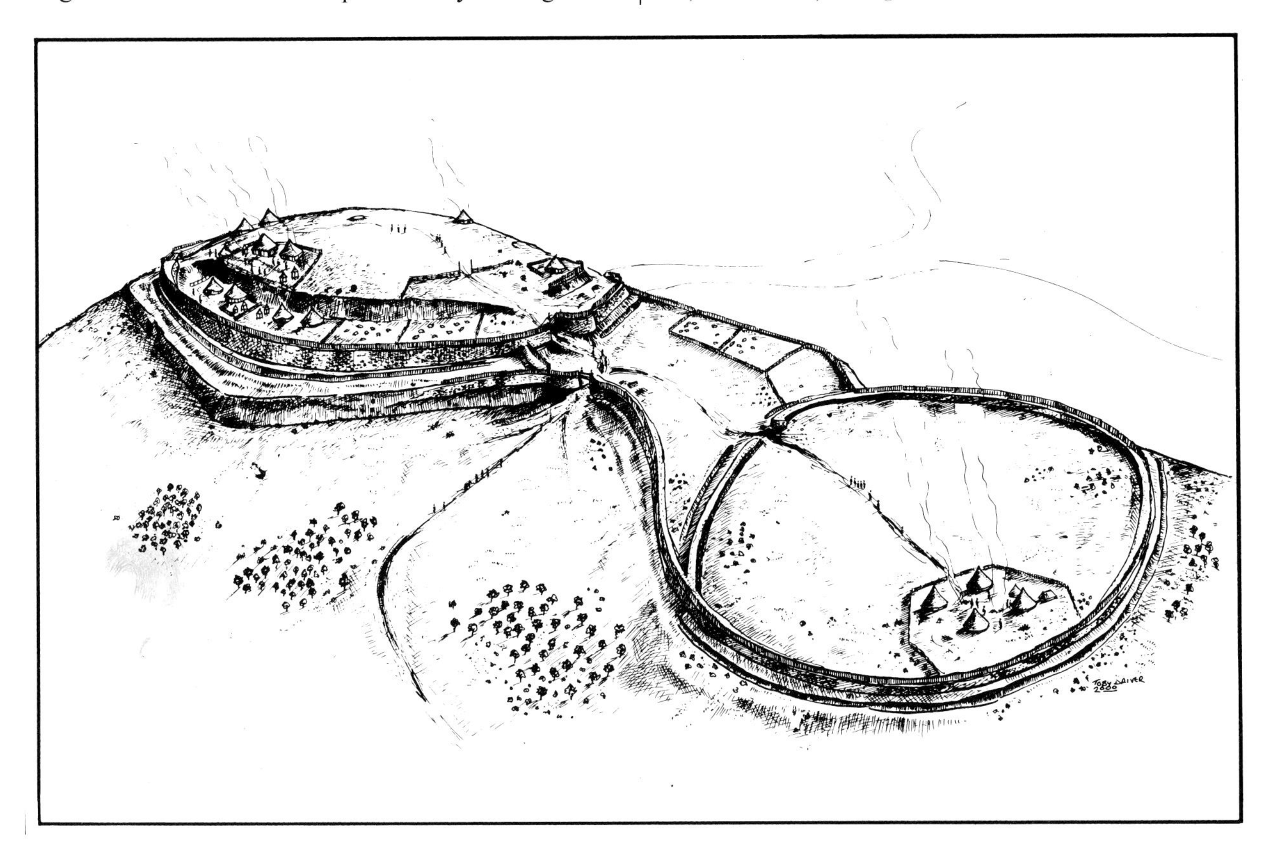

Pen Dinas: reconstruction of the hill-fort from the north-east ca.50 BC. (T.G. Driver).

Pendinas: adluniad o'r fryngaer o'r gogledd-ddwyrain tua 50 CC. (T.G. Driver).

the south and Machynlleth in the north. The feat of organisation required to recruit and feed the workforce necessary to build the fort over several years shows a leader of immense power ruling this part of late prehistoric mid Wales. Never before would the peasants in the countryside have seen such high stone walls or towering gateways crossed by bridges. Pen Dinas would have been as strange and new a sight in the prehistoric landscape as a field of wind turbines or a nuclear power station are today.

The hill-fort may not have been entirely the result of local inspiration. The main gateways were sophisticated for their day and, in terms of design, are unparalleled elsewhere in the region. They owe more to the gateway designs found on the Welsh borderlands, at some of the largest Clwydian hill-forts like Moel Hiraddug and Dinorben, than to local sites. Archaeologists have compared the designs of gateways at these and other large hill-forts, and come to the conclusion that they may have been designed and built by 'professional' prehistoric architects, who travelled from fort to fort selling their skills. The gateways at Pen Dinas are less elaborate, but are still complex enough to suggest the hand of a specialist. Only a future programme of excavations, at Pen Dinas and other forts in the region, will shed more light on this potentially fascinating subject.

THE FINDS FROM PEN DINAS

Very few artefacts were found during the 1933-7 excavations, and many of those that were discovered have since been lost. Prehistoric pottery and ancient metal objects do not survive well in the acidic soils of mid Wales. Moreover, the 1930s excavations employed labourers with picks and shovels to clear away the soil, and small objects may have been overlooked. A modern excavation, using careful techniques to gradually remove the centuries of earth and stone, would probably find much more.

The most dateable finds were sherds from an Iron Age jar with stamped decoration around the rim, made about 100BC and similar to 'Malvernian' pottery found on the Welsh borders. A

Pen Dinas: a narrow trench, probably that excavated through the eastern terraces of the south fort in 1933. The well-preserved wall line is part of the original Iron Age rampart. (Crown Copyright RCAHMW).

Pendinas: ffos gul sef, mae'n debyg, yr un a gloddiwyd drwy derasau dwyreiniol caer y de ym 1933. Mae llinell y mur, sydd wedi'i diogelu'n dda, yn rhan o'r rhagfur gwreiddiol o'r Oes Haearn. (Hawlfraint y Goron, Comisiwn Brenhinol Henebion Cymru).

rhwng Aberteifi yn y de a Machynlleth yn y gogledd. Mae'r gamp a gyflawnwyd o ran trefnu'r holl broses o recriwtio a bwydo'r gweithlu yr oedd ei angen i godi'r gaer dros gyfnod o rai flynyddoedd yn dangos i arweinydd grymus dros ben reoli'r rhan hon o ganolbarth Cymru tua diwedd y cyfnod cynhanesyddol. Ni fyddai gwerin gwlad erioed wedi gweld muriau cerrig mor uchel na phyrth enfawr â phontydd yn eu croesi. Byddai Pendinas wedi bod yn olygfa mor newydd a dieithr yn y dirwedd gynhanesyddol ag yw llond cae o dwrbinau gwynt neu atomfa heddiw.

Mae'n bosibl nad ffrwyth ysbrydoliaeth leol yn unig oedd y fryngaer. Yr oedd i'r prif byrth gynllun a

A reconstruction of the 'duck-stamped' jar found at Pen Dinas, now in the Ceredigion Museum.
(By permission of the National Museum of Wales).

Adluniad o'r jar 'nod hwyaden' y cafwyd hyd iddi ym Mhendinas ac sydd bellach yn Amgueddfa Ceredigion.
(Gyda chaniatâd Amgueddfa Genedlaethol Cymru).

reconstruction of the jar can be seen in the Ceredigion Museum, whilst the original is in the National Museum of Wales. A fine glass bead was also found near the north gateway of the south fort, of a pale yellow, translucent colour decorated with three spirals of yellow, opaque glass thread. Other finds included a stone bead, two spindlewhorls, two loom weights, fragments of corroded iron and

oedd yn soffistigedig ar y pryd ac, o ran eu cynllun, nid oes eu tebyg yn unman arall yn y rhanbarth. Maent yn debycach i batrymau'r pyrth a geir ar ororau Cymru, yn rhai o'r bryngaerau mwyaf yng Nghlwyd, megis Moel Hiraddug a Dinorben, nag i safleoedd lleol. Ar ôl cymharu cynlluniau pyrth y bryngaerau hynny â rhai mawr eraill, mae archaeolegwyr wedi dod i'r casgliad ei bod hi'n bosibl iddynt gael eu cynllunio a'u codi gan benseiri 'proffesiynol' cynhanesyddol a deithiai o gaer i gaer i werthu eu medrau. Er bod y pyrth ym Mhendinas yn llai cywrain, maent yn ddigon cymhleth i awgrymu ôl llaw arbenigwr. Ni chawn ragor o oleuni ar y pwnc hynod ddiddorol hwn tan y gweithredir rhaglen o waith cloddio ym Mhendinas a chaerau eraill yn y rhanbarth.

YR EITEMAU A DDARGANFUWYD YM MHENDINAS

Prin iawn oedd yr arteffactau y cafwyd hyd iddynt yn ystod cloddiadau 1933-7, a mynd ar goll fu hanes llawer ohonynt ers hynny. Nid yw crochenwaith cynhanesyddol a gwrthrychau metel hynafol yn goroesi'n dda ym mhriddoedd asidig canolbarth Cymru. At hynny, wrth gloddio yn ystod y 1930au, byddai'r labrwyr yn defnyddio caib a rhaw i glirio'r pridd ac fe all eu bod heb sylwi ar wrthrychau mân. Mae'n debyg y deuai gwaith cloddio modern, sy'n fwy gofalus wrth dynnu canrifoedd o bridd a cherrig, o hyd i lawer mwy.

Yr eitemau a ddarganfuwyd ac yr oedd modd eu dyddio'n fwyaf hwylus oedd teilchion jar o'r Oes Haearn ac arno addurniadau a oedd wedi'u stampio o amgylch y rhimyn. Cynhyrchwyd y jar tua 100 CC ac yr oedd yn debyg i'r crochenwaith 'Moelfrynaidd' y cafwyd hyd iddo ar y gororau. Gellir gweld adluniad o'r jar yn Amgueddfa Ceredigion, ond yn Amgueddfa Genedlaethol Cymru y mae'r gwreiddiol. Yn ogystal, darganfuwyd glain cain o wydr wrth borth gogleddol caer y de, a hwnnw o liw melyn tryleu ac wedi'i addurno â thair troell o edafedd o wydr melyn clir. Ymhlith yr eitemau eraill y cafwyd hyd iddynt yr oedd glain carreg, dwy sidell, dau bwys gwŷdd, darnau o haearn

The late Roman coin found at Pen Dinas, now in the National Museum of Wales, Cardiff. (By permission of the National Museum of Wales).

Y darn arian o'r cyfnod Rhufeinig diweddar y cafwyd hyd iddo ym Mhendinas ac sydd bellach yn Amgueddfa Genedlaethol Cymru, Caerdydd. (Gyda chaniatâd Amgueddfa Genedlaethol Cymru).

bronze, and a cache of over one hundred beach or river pebbles probably used as slingshot to defend the fort by hand. Finds from earlier times include a Neolithic stone axe, a Bronze Age palstave (possibly part of a hoard) and a triangular barbed and tanged arrowhead from a molehill within the south fort (all now in the National Museum of Wales).

A late Roman coin of the emperor Maximian (AD 307) was found in 1930 in a molehill within the fort, and is now in the National Museum of Wales. It may be indicative of a late Roman shrine on the hill. A sword of uncertain date was found on the lower slopes of the hill outside the south fort in the 1960s, but has now been lost. More recently, further slingstones have come to light in various parts of the south fort following the bracken fire of 1999, and are now in Ceredigion Museum.

ROMANS AND THE RECENT PAST.

After the conquest of Wales between AD 74-77, the Romans established a network of forts in mid Wales at Llanio, Trawsgoed, Penllwyn (Capel Bangor) and Erglodd (Talybont), connected by well-built roads.

ac efydd a oedd wedi cyrydu, a chuddstôr o gant a rhagor o gerrig mân o draeth neu afon i'w defnyddio, mae'n debyg, mewn ffon dafl wrth amddiffyn y gaer â llaw. Ymhlith yr eitemau a ddarganfuwyd o gyfnodau cynharach mae bwyell garreg Neolithig, palstaf o'r Oes Efydd (rhan o gelc, o bosibl) a phen saeth adfachog, seidiog a thrionglog a gafwyd ym mhridd y wadd yng nghaer y de. Mae'r rhain i gyd bellach yn Amgueddfa Genedlaethol Cymru.

Ym mhridd y wadd yng nghaer y de ym 1930 cafwyd hyd i ddarn arian Rhufeinig o gyfnod yr ymherodr Maximian (OC 307), ac yn Amgueddfa Genedlaethol Cymru y mae'r darn hwnnw erbyn hyn. Gall fod yn arwydd fod cysegrfan Rufeinig ddiweddar wedi'i chodi ar y bryn. Ar lethrau isaf y bryn y tu allan i gaer y de cafwyd hyd i gleddyf ansicr ei ddyddiad yn ystod y 1960au, ond mae wedi mynd ar goll ers hynny. Yn fwy diweddar, cafwyd hyd i ragor o gerrig tafl mewn gwahanol rannau o gaer y de yn dilyn y tân a fu yn y rhedyn ym 1999, ac erbyn hyn maent i'w gweld yn Amgueddfa Ceredigion.

Y RHUFEINIAID A'R GORFFENNOL DIWEDDAR

Ar ôl i'r Rhufeiniaid oresgyn Cymru rhwng OC 74 a 77, aethant ati i sefydlu rhwydwaith o gaerau yng Nghanolbarth Cymru, sef yn Llanio, Trawsgoed, Penllwyn (Capel Bangor) ac Erglodd (Tal-y-bont),

The Bronze Age 'palstave' found at Pen Dinas. A palstave was a metal axe designed to be hafted onto a wooden handle. It may have been used as a tool, or a weapon, ca.1200 BC. (By permission of the National Museum of Wales).

Y 'palstaf' o'r Oes Efydd y cafwyd hyd iddo ym Mhendinas. Bwyell fetel oedd palstaf, a chynlluniwyd iddo gymryd coes bren. Fe all mai fel offeryn neu fel arf y'i defnyddiwyd, tua 1200 CC. (Gyda chaniatâd Amgueddfa Genedlaethol Cymru).

A Roman coin has been found at Pen Dinas, but we know little about how the hill-fort fared under the Roman occupation. It may have been sacked by invading soldiers, or alternatively abandoned years before the Roman troops arrived. Nor do we know much about its history during the Dark Ages and Medieval period, beyond the fact that it is mentioned as 'Dinas Faelor' or 'Castell Maelor' in the 15th and 16th centuries. In the 18th and 19th centuries, much of Pen Dinas was divided into common land or fields, the two summits named 'Roman camp' and 'Dinas Hill' on a fine estate map of 1819.

THE WELLINGTON MONUMENT

The stone column built on the summit of the south fort is a memorial to the Duke of Wellington. It was probably erected in 1858 or a year or two before. The main person responsible for seeing to its construction was W.E. Richards of Bryneithin. There is some argument about what the monument represents, but the most plausible idea, given its dedication, is that it portrays an upturned cannon. A spectacular lightning strike hit the Monument during the summer of 1997, so fierce that stones were

a'u cysylltu â ffyrdd cadarn eu hadeiladwaith. Er y cafwyd hyd i ddarn arian Rhufeinig ym Mhendinas, ychydig a wyddom am hanes y fryngaer o dan y Rhufeiniaid. Efallai i'r milwyr Rhufeinig anrheithio'r gaer neu fe all fod y trigolion wedi rhoi'r gorau iddi flynyddoedd cyn i'r Rhufeiniaid gyrraedd. Ni wyddom ychwaith fawr o'i hanes yn ystod yr Oesoedd Tywyll a'r Oesoedd Canol heblaw bod sôn amdani fel 'Dinas Faelor' neu 'Castell Maelor' yn yr 15fed ganrif a'r 16eg ganrif. Yn y 18fed ganrif a'r 19eg ganrif, rhannwyd llawer o Bendinas yn dir comin neu'n gaeau, ac enwir y ddau gopa'n 'Roman Camp' a 'Dinas Hill' ar fap ystâd cywrain o 1819.

COFEB WELLINGTON

Cofeb i Ddug Wellington yw'r golofn garreg a godwyd ar gopa caer y de. Mae'n fwy na thebyg iddi gael ei chodi ym 1858 neu flwyddyn neu ddwy cyn hynny. Prif ysgogydd ei chodi yno oedd W.E. Richards, Bryneithin. Er bod peth dadlau ynglŷn â'r hyn y mae'r gofeb yn ei gynrychioli, y syniad mwyaf credadwy, o gofio'r geiriad sydd arni, yw ei bod yn portreadu canon yn saethu tuag i fyny. Yn ystod haf 1997 trawyd y Gofeb gan fellten a oedd mor rymus

The Wellington Monument, under scaffolding during August 1999. (Crown Copyright RCAHMW)

Cofeb Wellington, o dan sgaffaldiau yn ystod mis Awst 1999. (Hawlfraint y Goron, Comisiwn Henebion Cenedlaethol Cymru).

blown off its top. The monument was fully restored in 1999, with a replacement rounded slate surround at its top specially made at Blaenau Ffestiniog Slate Quarry.

Other recent events stand out, like the bracken fire of 1999, which burnt for many dry summer days, causing severe damage to the flora of the south summit. Every now and then, the rubbish and losses of recent centuries including glass, porcelain, clay pipes and coins (some now in the Ceredigion Museum) are found on the grassy summit. These serve to remind us of the countless walks, picnics and excursions made by people to this splendid viewpoint right up to the present day. With the designation in 1999 of the Pen Dinas and Tanybwlch Local Nature Reserve (LNR), interest in this ancient hill is bound to continue for many centuries more.

nes chwythu cerrig oddi ar ei phen uchaf. Adferwyd y gofeb yn llawn ym 1999 drwy osod arni lechen newydd a gawsai ei gwneud yn arbennig yn Chwarel Lechi Blaenau Ffestiniog.

Cafwyd digwyddiadau nodedig eraill yn ddiweddar, fel y tân yn y rhedyn ym 1999 a fu'n llosgi drwy gydol llawer diwrnod sych o haf gan achosi difrod mawr i'r planhigion ar y copa deheuol. O dro i dro, ceir hyd i sbwriel ac eitemau coll o'r canrifoedd diweddar, gan gynnwys gwydr, porslen, pibau clai a darnau arian (mae rhai ohonynt bellach yn Amgueddfa Ceredigion) ar y copa, ac mae'r rheiny'n ein hatgoffa bod pobl o oes i oes wedi bod yn cerdded i fyny i weld yr olygfa wych o'r fan hon. Yn sgil dynodi Gwarchodfa Natur Leol Pendinas a Than-y-bwlch ym 1999, mae'r diddordeb yn y bryn hynafol hwn yn rhwym o barhau am ganrifoedd eto.

A SHORT TOUR OF THE SOUTH FORT.

TAITH FER O AMGYLCH CAER Y DE.

The south fort at Pen Dinas can be easily reached using one of three public footpaths. All are marked from public roads by stiles and gates, at the entry-points to the Local Nature Reserve. The path from Cae Job/Parc Dinas is the most direct with perhaps the best gradient. The path from the north is a pleasant walk through woodland and fields from Trefechan. The path from Felin-y-mor road on the seaward side is steep but affords excellent views along the coast. There is no public access to the north fort.

The tour is designed to start and finish at the Wellington Monument. Alternatively, visitors approaching from any one of the three footpaths entering the south fort can follow the points in the order they come across them. The growth of bracken and brambles in summer may mean parts of the fort are difficult to reach.

Mae'n hawdd cyrraedd caer y de ym Mhendinas ar hyd un o'r tri llwybr cyhoeddus. Mae pob un ohonynt wedi'i farcio o'r ffyrdd cyhoeddus, sef wrth gamfeydd a chlwydi, wrth y mynedfeydd i'r Warchodfa Natur Leol. Y llwybr o Gae Job/Parc Dinas yw'r un mwyaf uniongyrchol ac, efallai, yr un lleiaf serth. Mae'r llwybr o'r gogledd yn daith gerdded ddymunol o Drefechan drwy dir coediog a chaeau. Er mor serth yw'r llwybr o ffordd Felin-y-môr ar hyd ochr y môr i'r gaer, mae'n cynnig golygfeydd rhagorol ar hyd yr arfordir. Nid oes mynediad i'r cyhoedd i gaer y gogledd.

Bwriedir i'r daith hon ddechrau a gorffen wrth Gofeb Wellington. Dewis arall yw bod ymwelwyr sy'n dod ar hyd unrhyw un o'r tri llwybr troed sy'n dod i mewn i gaer y de yn dilyn y pwyntiau yn y drefn y deuant ar eu traws. Gall tyfiant y rhedyn a'r mieri yn yr haf olygu ei bod hi'n anodd cyrraedd rhai rhannau o'r gaer.

Pen Dinas: the north gate of the south fort. The present-day path which enters the north gate follows the line of the original Iron Age trackway. (T.G. Driver).

Pendinas: porth gogleddol caer y de. Mae'r llwybr sydd heddiw'n mynd drwy'r porth gogleddol yn dilyn llinell hen lwybr gwreiddiol yr Oes Haearn. (T.G. Driver).

A SHORT TOUR OF THE SOUTH FORT.

TAITH FER O AMGYLCH CAER Y DE.

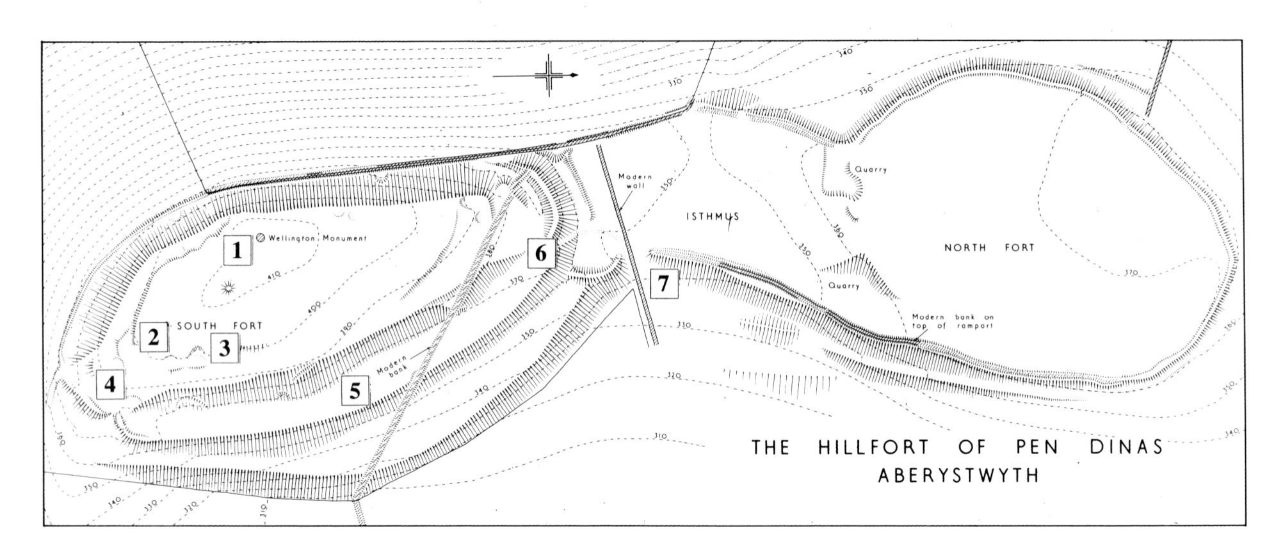

1 - The Wellington Monument. A fine column just over 18 metres high, built on a circular podium 1.8 metres high. It was erected in 1858. On a clear day the views from this point are exceptional; from Pembrokeshire and Cardigan Island in the south- west, to Bardsey Island and the Lleyn Peninsula in the north-west and the peaks of Snowdonia to the north.

2 - House Platforms in the south fort. About a dozen oval or D-shaped scoops can be seen inside the south fort. Those at the southern end are the best preserved and are clearly cut into the ground to provide a level platform for building.

3 -Excavated house site. The rock-cut platform of this D-shaped house survives well following excavation in 1936. The excavators discovered a deep curving gutter at the rear (west) to support a timber wall, with a row of postholes forming a flat façade on the downslope (east) side.

1 - Cofeb Wellington. Colofn gain sydd ychydig dros 18 metr o uchder ac a godwyd ar bodiwm crwn sy'n 18 metr o uchder. Fe'i codwyd ym 1858. Ar ddiwrnod clir, ceir golygfeydd braf o'r fan hon: o Sir Benfro ac Ynys Aberteifi yn y de-orllewin i Ynys Enlli a Phenrhyn Llyn yn y gogledd-orllewin a chopaon Eryri yn y gogledd.

2 -Llwyfannau tai yng nghaer y de. Gellir gweld rhyw ddwsin o grafbantiau hirgrwn neu ar ffurf D y tu mewn i gaer y de. Y rhai yn y pen deheuol sydd wedi'u diogelu orau ac mae'n amlwg eu bod wedi'u torri i'r tir i greu llwyfan gwastad i adeiladu arno.

3 - Safle tŷ sydd wedi'i gloddio. Mae'r llwyfan a dorrwyd i'r graig i godi arno'r tŷ hwn ar siâp D wedi goroesi'n dda yn dilyn ei gloddio ym 1936. Daeth y cloddwyr o hyd i gafn crwn a dwfn yn y cefn (gorllewin) a arferai ddal mur o bren, a rhes o dyllau pyst sy'n ffurfio ffasâd gwastad ar yr ochr waered (dwyrain).

4 - South gate of south fort. The earthworks which survive today give a good idea of the width of the original entrance passage which would have been lined with stone walls and crossed by a timber bridge. The gateway commands extensive views over the southern approaches to the fort.

5 - Eastern terraces of south fort. These enormous terraces, originally reinforced with stone facing-walls and ditches, are one of the great feats of Iron Age engineering to be seen in mid Wales. The upper, more level, terrace may have been used for sheltering stock or building houses away from prevailing winds.

6 - North gate of south fort. Much of the gate structure here lies buried beneath the ground, but the steep slope down to the isthmus gives some idea of how mighty this gate would once have been. The slope of the north rampart, to the west of the gate, is still formidable.

7 - The isthmus gateway. The modern field bank crossing the isthmus divides the original site of the isthmus gate in two. Originally this gate would have been a towering structure, nearly 4½ metres tall, and would have been an impressive symbol of power to all those approaching from below.

Points to remember

Visitors are reminded to follow the Country Code, to keep to well-trodden paths and to avoid climbing on ramparts or disturbing areas of dense vegetation. Pen Dinas is a Scheduled Ancient Monument in the care of Cadw: Welsh Historic Monuments, and it is an offence to dig into or disturb the ground or to use a metal detector. Any stray finds picked up should be reported to the Ceredigion Museum or to Archaeoleg Cambria Archaeology. Pen Dinas also falls within the jurisdiction of the Pen Dinas and Tanybwlch Local Nature Reserve. The use of bicycles or vehicles is strictly prohibited and due respect should be paid to wildlife and plants.

4 -Porth deheuol caer y de. Mae'r gwrthgloddiau sy'n goroesi heddiw yn rhoi syniad da o led y fynedfa wreiddiol a fyddai wedi bod â muriau cerrig ar hyd-ddi a phont bren yn ei chroesi. O'r porth, ceir golygfeydd helaeth dros y llwybrau at y gaer o'r de.

5 - Terasau dwyreiniol caer y de. Y terasau enfawr hyn, a atgyfnerthwyd yn wreiddiol â muriau gorchudd o gerrig, a ffosydd, yw un o gampau mawr peirianneg yr Oes Haearn yng nghanolbarth Cymru. Gall y teras uchaf, sy'n fwy gwastad, fod wedi'i defnyddio i gysgodi anifeiliaid neu i godi tai arno gan eu cysgodi rhag y prif wyntoedd.

6 - Porth gogleddol caer y de. Mae llawer o adeiladwaith y porth yma wedi'i gladdu o dan y pridd, ond mae'r llethr serth i lawr i'r culdir yn rhoi rhyw syniad o gadernid aruthrol y porth hwn gynt. Mae llethr y rhagfur gogleddol, i'r gorllewin o'r porth, yn dal i fod yn serth iawn.

7 - Porth y culdir. Mae'r clawdd modern sy'n croesi'r culdir yn torri safle porth y culdir yn ddwy. Yn wreiddiol, byddai'r porth wedi bod yn adeiladwaith aruchel, bron yn 4½ metr o uchder, ac yn symbol trawiadol o rym i bawb a ddeuai ati oddi isod.

Cofiwch hyn

Atgoffir ymwelwyr i barchu Rheolau Cefn Gwlad, i gadw at y llwybrau ac i osgoi dringo ar y rhagfuriau neu aflonyddu ar y tir lle ceir llystyfiant trwchus. Gan fod Pendinas yn heneb gofrestredig sydd yng ngofal Cadw: Henebion Cymru, mae'n drosedd cloddio neu aflonyddu ar y tir neu ddefnyddio canfodydd metel. Dylid rhoi gwybod am unrhyw fân ddarganfyddiadau strae i Amgueddfa Ceredigion neu Archaeoleg Cambria. Daw Pendinas hefyd o fewn awdurdod Gwarchodfa Natur Leol Pendinas a Than-y-bwlch. Gwaherddir defnyddio beiciau neu gerbydau yno a dylid rhoi'r parch dyladwy i fywyd gwyllt a phlanhigion.

FINDING OUT MORE
DARGANFOD RHAGOR

Useful addresses:

Royal Commission on the Ancient and Historical Monuments of Wales (RCAHMW), Crown Building, Plas Crug, Aberystwyth, Ceredigion, SY23 1NJ. The National Monuments Record of Wales with its library, is open to the public from 09.30 to 16.00 Mondays to Fridays (excluding public holidays).
Telephone: 01970 621200.
Website: http://www.rcahmw.org.uk/

Ceredigion Museum, Terrace Road, Aberystwyth, Ceredigion. The Bowen gallery has an excellent display of archaeological finds from the county. Admission free.
Telephone: 01970 633088.
Website: http://www.ceredigion.gov.uk/croeso/atyn/treftad.htm

Archaeoleg Cambria Archaeology, The Shire Hall, Carmarthen Street, Llandeilo, SA19 6AF. Formerly the Dyfed Archaeological Trust, this is the body responsible for maintaining and updating the regional Sites and Monuments Record for west Wales.
Telephone: 01558 823121.
Website: http://www.acadat.com

Cadw: Welsh Historic Monuments, National Assembly for Wales, Cathays Park, Cardiff, CF10 3NQ, is the statutory body responsible for protecting, conserving and presenting the built heritage of Wales.
Telephone: 029 2050 0200.
Website: http://www.cadw.wales.gov.uk/

Cardiganshire Antiquarian Society, formed in 1909. Membership Secretary, Mr William Troughton, Swn-y-Nant, Cliff Terrace, Aberystwyth, Ceredigion, SY23 2DN.

Aberystwyth and District Archaeological Society, 33 Third Avenue, Penparcau, Aberystwyth, SY23 1RF.
Website: http://www.geocities.com/hlhl69/

Pen Dinas & Traeth Tanybwlch Local Nature Reserve (LNR), Cyngor Sir Ceredigion, Coast and Countryside Section, Penmorfa, Aberaeron. Contact: Liz Allan.
Telephone: 01545 572142.
e-mail: liza@ceredigion.gov.uk

Pen Dinas & Traeth Tanybwlch LNR Support Group, The Secretary, Porth House, Powell St., Aberystwyth.

Cyfeiriadau defnyddiol:

Comisiwn Brenhinol Henebion Cymru, Adeilad y Goron, Plas Crug, Aberystwyth, Ceredigion SY23 1NJ. Mae Ystafell Chwilio y Cofnod Henebion Cenedlaethol, a'i llyfrgell helaeth, ar agor i'r cyhoedd o 09.30 tan 16.00 Llun-Gwener (ac eithrio gwyliau cyhoeddus).
Ffôn: 01970 621200.
Gwefan: http://www.rcahmw.org.uk/

Amgueddfa Ceredigion, Y Colisewm, Ffordd y Môr, Aberystwyth, Ceredigion, SY23 2AQ. Yn oriel Bowen ceir arddangosfa ragorol o ddarganfyddiadau archaeolegol a wnaed yn y sir. Mynediad yn ddi-dâl.
Ffôn: 01970 633088.
Gwefan: http://www.ceredigion.gov.uk/croeso/atyn/treftad.htm

Archaeoleg Cambria, Neuadd y Sir, Heol Caerfyrddin, Llandeilo, SA19 6AF. Hwn, sef Ymddiriedolaeth Archaeoleg Dyfed gynt, yw'r corff sy'n gyfrifol am gynnal a diweddaru'r Cofnod rhanbarthol o Safleoedd a Henebion ar gyfer gorllewin Cymru.
Ffôn: 01558 823121.
Gwefan: http://www.acadat.com

Cadw: Henebion Cymru, Cynulliad Cenedlaethol Cymru, Parc Cathays, Caerdydd, CF10 3NQ. Dyma'r corff statudol sy'n gyfrifol am ddiogelu, gwarchod a chyflwyno treftadaeth adeiledig Cymru.
Ffôn: 029 20 50 0200.
Gwefan: http://www.cadw.wales.gov.uk/

Cymdeithas Hynafiaethau Sir Aberteifi, a ffurfiwyd ym 1909. Ysgrifennydd Aelodaeth, Mr William Troughton, Sôn-y-Nant, Allt-y-Clogwyn, Aberystwyth,Ceredigion, SY23 2DN.

Cymdeithas Archaeolegol Aberystwyth a'r Cylch, 33 Coedlan Tri, Penparcau, Aberystwyth, SY23 1RF.
Gwefan: http://www.geocities.com/hlhl69/

Gwarchodfa Natur Leol Pendinas a Thraeth Tan-y-bwlch, Cyngor Sir Ceredigion, Adfan yr Arfordir a Chefn Gwlad, Penmorfa, Aberaeron. Cyswllt: Liz Allan.
Ffôn: 01545 572142.
e-bost: liza@ceredigion.gov.uk

Grôp Cefnogi Gwarchodfa Natur Leol Pendinas a Thraeth Tan-y-bwlch, Yr Ysgrifennydd, Porth House, Stryd Powel, Aberystwyth.

Reporting your own archaeological finds

Every archaeological find, be it a small flint flake or a bronze brooch, adds to our understanding of how Ceredigion has developed over the centuries. If you find anything interesting you should report it to Ceredigion Museum, Aberystwyth, or to the Sites and Monuments Record (SMR) Officer at Cambria Archaeology, Llandeilo (see address above), so that a permanent record can be made. You will not normally be asked to hand over your find unless you want to, but archaeologists may wish to borrow it for a time so that it can be photographed, drawn and properly recorded.

Finds made on private land are usually the property of the landowner. The new Treasure Act (1996) defines treasure as any object containing at least 10 per cent gold or silver which is at least 300 years old, and any coins of the same description. Coins of non-precious metal over 300 years old, where 10 or more are found together, as well as any associated objects, are also classed as treasure. Any finds of treasure should be reported to the above addresses within 14 days of being discovered. The finder may receive a reward.

Rhoi gwybod am eich darganfyddiadau archaeolegol eich hun

Mae pob darganfyddiad archaeolegol, boed naddyn bach o gallestr neu dlws efydd, yn ychwanegu at ein dealltwriaeth o'r ffordd y mae Ceredigion wedi datblygu dros y canrifoedd. Os cewch hyd i rywbeth diddorol, dylech roi gwybod amdano i Amgueddfa Ceredigion yn Aberystwyth neu i Swyddog y Cofnod o Safleoedd a Henebion yn Archaeoleg Cambria yn Llandeilo (cewch y cyfeiriad uchod) er mwyn i gofnod parhaol allu cael ei wneud ohono. Ni ofynnir i chi drosglwyddo'r eitem fel rheol oni ddymunwch wneud hynny, ond fe all fod ar archaeolegwyr eisiau cael ei benthyg am gyfnod i dynnu ffotograff ohoni, ei lluniadu a'i chofnodi'n gywir.

Fel rheol, eiddo'r tirfeddiannwr yw eitemau a ddarganfyddir ar dir preifat. Mae'r Ddeddf newydd, Deddf Trysor (1996), yn diffinio trysor fel unrhyw wrthrych sy'n cynnwys o leiaf 10 y cant o aur neu arian ac sydd o leiaf yn 300 oed, ac unrhyw ddarnau arian o'r un disgrifiad. Mae trysor hefyd yn cynnwys darnau arian o fetel an-werthfawr sydd dros 300 oed, os ceir hyd i 10 a rhagor gyda'i gilydd, yn ogystal ag unrhyw wrthrychau cysylltiedig. Os darganfyddir unrhyw drysor, dylid rhoi gwybod amdano i'r cyfeiriad uchod cyn pen 14 diwrnod ar ôl ei ddarganfod. Gall y sawl sy'n ei ddarganfod gael gwobr.

SITES TO VISIT

SAFLEOEDD I YMWELD Â HWY

Hunter-Gatherers at Penyranchor. (SN 580 807)

Thousands of years before Pen Dinas hill-fort was built, Middle Stone Age hunter-gatherers settled briefly on its lower slopes. On the seaward side of the hill, a rocky outcrop juts out into Aberystwyth harbour and is marked today by a Second World War pillbox. Here, in 1912 and 1922, Roger Thomas of Aberystwyth University discovered scatters of tiny flint tools and stone tools, including small blades, knives and `limpet-scoops', small natural

Helwyr-Gasglwyr yn Mhenyrangor. (SN 580 807)

Filoedd o flynyddoedd cyn codi bryngaer Pendinas, fe ymgartrefodd helwyr-gasglwyr ar y llethrau isaf am gyfnod byr tua chanol Oes y Cerrig. Ar yr ochr o'r bryn sy'n wynebu'r môr, mae brigiad creigiog yn ymwthio i harbwr Aberystwyth ac arno heddiw mae 'pillbox' o'r Ail Ryfel Byd. Yma, ym 1912 a 1922, daeth Roger Thomas o Brifysgol Aberystwyth o hyd i wasgariadau o offer bach iawn o gallestr a cherrig, gan gynnwys llafnau bach, cyllyll a 'lletwadau pebbles with abraded ends supposedly used to hammer limpets off rocks (described in the Cardiganshire County History, volume I, page 115). These were probably left by a group of hunters some 7,000 – 9,000 years ago, who stopped on their seasonal journey following herds of reindeer or elk, to camp for a few nights and forage locally for food. In that distant time, the sea level was generally lower than it is today and Cardigan Bay would have been a dry, wooded plain, with the sea many miles away. Traces of the thick forest of pine which once stood here can still be seen on the beach between Borth and Ynyslas (5½ miles north of Aberystwyth) at low tide, as the dark stumps of the legendary 'submerged forest' emerge from the sand and surf.

Other prehistoric sites in the area:

There are many archaeological sites in Ceredigion which can be visited either by public footpaths or by asking permission from nearby farms. We offer a selection of the most accessible and most interesting. Further details on these sites can be found in the Cardiganshire County History, volume I (1994).

The sites can be located on Ordnance Survey Landranger, Explorer or Pathfinder maps using the National Grid References provided.

Prehistoric ritual sites

Aber Camddwr, Nant y Moch.
A Bronze Age platform cairn used for many centuries. It was discovered and excavated in 1984 when the reservoir level was low, and reconstructed above the water level. (SN 751 870) *Access*: in fenced enclosure alongside minor road.

Bedd Taliesin, Talybont.
Bronze Age cairn with central cist. (SN 671 912). *Access:* on verge alongside minor road.

Buwch a'r Llo, Pendam.
A pair of fine Bronze Age standing stones. (SN 723 834). *Access:* in lay-by alongside minor road.

cregyn', mân gerrig naturiol â phennau ysgrafelledig a ddefnyddid, o bosibl, i forthwylio cregyn oddi ar y creigiau (disgrifir y rhain yng nghyfrol I y Cardiganshire County History, tudalen 115). Mae'n fwy na thebyg iddynt gael eu gadael gan grŵp o helwyr ryw 7,000 – 9,000 o flynyddoedd yn ôl wedi iddynt wersylla yma am ychydig nosweithiau i chwilio am fwyd ar eu taith dymhorol wrth gwt gyrroedd o geirw neu gawr geirw. Bryd hynny, yr oedd lefel y môr yn is o lawer nag yw hi heddiw a byddai Bae Ceredigion wedi bod yn wastatir sych a choediog filltiroedd lawer o'r môr. Adeg y llanw isel ar y traeth rhwng y Borth ac Ynys-las (5½ milltir i'r gogledd o Aberystwyth) gellir dal i weld olion y goedwig drwchus o goed pîn a safai yma ar un adeg, a hynny wrth i foncyffion tywyll y goedwig chwedlonol sydd 'o dan y môr a'i donnau' ddod i'r golwg o ganol y dŵr a'r tywod.

Safleoedd cynhanesyddol eraill yn yr ardal:

Mae llu o safleoedd archaeolegol yng Ngheredigion, a chewch ymweld â hwy naill ai drwy ddilyn llwybrau cyhoeddus neu drwy ofyn yn y ffermydd cyfagos am ganiatâd. Isod, cewch ddetholiad o'r rhai mwyaf hygyrch a diddorol. Cewch ragor o fanylion am y safleoedd hyn yng nghyfrol I y Cardiganshire County History.

Mae modd dod o hyd i'r safleoedd ar fapiau Landranger, Explorer neu Pathfinder yr Arolwg Ordnans gan ddefnyddio'r Cyfeirnodau Grid Cenedlaethol perthnasol.

Safleoedd defodol cynhanesyddol

Aber Camddwr, Nant-y-moch.
Carnedd lwyfan o'r Oes Efydd a ddefnyddiwyd am ganrifoedd lawer. Fe'i darganfuwyd ac fe'i cloddiwyd ym 1984 pan oedd lefel y gronfa ddŵr yn isel, ac fe'i hadluniwyd uwchlaw lefel y dŵr. (SN 751 870) *Mynediad:* mewn lloc, a ffens o'i amgylch, wrth ochr ffordd fach.

Bedd Taliesin, Tal-y-bont.
Carnedd o'r Oes Efydd ac iddi gistfaen ganolog. (SN 671 912). *Mynediad:* ar yr ymyl wrth ochr ffordd fach.

Dolgamfa, Parsons Bridge, Ystumtuen.
A small Bronze Age cairn circle. (SN 746 792). *Access:* by public footpaths from Ystumtuen or Ysbyty Cynfyn.

Hirnant, Ponterwyd.
Bronze Age cairn circles and barrow cemetery. (SN 753 839). *Access:* by public footpath from minor road.

Plynlimon/Pumlumon Fawr.
Impressive Bronze Age cairns, on summit of mountain (SN 789 869). *Access:* by various well-trodden footpaths to summit. The best paths start from Eisteddfa Gurig (SN 797 840).

Y Garreg Fawr, Llanbadarn Square, Aberystwyth.
Possibly a capstone from a destroyed Neolithic tomb. (SN 600 809). *Access:* in village square, on plinth by war memorial.

Iron Age hill-forts

Castell, Pantmawr, Llanilar.
Iron Age promontory fort. (SN 611 756). *Access:* by public footpath into woodland.

Coed Ty'n y Cwm, Trawsgoed.
Pair of small Iron Age promontory forts. (SN 687 740). *Access:* by public footpath to north fort only.

Old Warren Hill, Nanteos, Aberystwyth.
Wooded Iron Age promontory fort, the largest single-ditched (univallate) fort in the county. (SN 615 789). *Access:* by public footpath; site in care of Dyfed Wildlife Trust. May be overgrown during the summer months.

Pen y Ffrwd Llwyd, Ystrad Meurig.
Well preserved upland hill-fort set on cliff edge. (SN 709 688). *Access:* by farm track.

Esgair Nantyrarian, Goginan.
Iron Age promontory fort. (SN 710 817). *Access:* half-hour walk through forestry from Nant-yr-arian Forest visitor centre. May be overgrown during the summer months.

Buwch a'r Llo, Pendam.
Pâr o feini hirion gwych o'r Oes Efydd. (SN 723 834). *Mynediad:* mewn cilfan wrth ochr ffordd fach.

Dolgamfa, Parsons Bridge.
Ystumtuen, cylch carnedd bach o'r Oes Efydd. (SN 746 792). *Mynediad:* ar hyd llwybrau cyhoeddus o Ystumtuen neu Ysbyty Cynfyn.

Hirnant, Ponterwyd.
Cylchoedd carnedd a chrugfynwent o'r Oes Efydd. (SN 753 839). *Mynediad:* ar hyd llwybr cyhoeddus o ffordd fach.

Pumlumon Fawr.
Carneddi trawiadol o'r Oes Efydd ar gopa mynydd (SN 789 869). *Mynediad:* ar hyd amrywiol lwybrau troed i'r copa. O Eisteddfa Gurig (SN 797 840) y mae'r llwybrau gorau'n cychwyn.

Y Garreg Fawr, Sgwâr Llanbadarn, Aberystwyth.
Maen capan, efallai, o feddrod Neolithig sydd wedi'i ddinistrio. (SN 600 809). *Mynediad:* ar sgwâr y pentref, ar blinth wrth y gofeb ryfel.

Bryngaerau o'r Oes Haearn

Castell, Pantmawr, Llanilar. Caer bentir goediog o'r Oes Haearn. (SN 611 756). *Mynediad:* ar hyd llwybr cyhoeddus i mewn i'r coed.

Coed Ty'n y Cwm, Trawsgoed. Pâr o gaerau pentir bach o'r Oes Haearn. (SN 687 740). *Mynediad:* ar hyd llwybr cyhoeddus i'r gaer ogleddol yn unig.

Old Warren Hill, Nanteos, Aberystwyth. Caer bentir goediog o'r Oes Haearn, y gaer un-ffos (unglawdd) fwyaf yn y wlad. (SN 615 789). *Mynediad:* ar hyd llwybr cyhoeddus: mae'r safle yng ngofal Ymddiriedolaeth Bywyd Gwyllt Dyfed. Gall y gwair dyfu dros y gaer yn ystod misoedd yr haf.

Pen y Ffrwd Llwyd, Ystradmeurig. Bryngaer sydd ar ochr clogwyn ac wedi'i diogelu'n dda. (SN 709 688). *Mynediad:* ar hyd llwybr fferm.

Esgair Nantyrarian, Goginan. Caer bentir drawiadol o'r Oes Haearn. (SN 710 817). *Mynediad:* hanner awr o waith cerdded drwy'r goedwig o ganolfan ymwelwyr Coedwig Nantyrarian. Gall y gwair dyfu drosti a'i gorchuddio yn ystod misoedd yr haf.

Elsewhere in Wales.

Of the great number of hill-forts which can be visited in Wales (see the four regional Cadw guidebooks to Ancient and Historic Wales, for Dyfed, Gwynedd, Clwyd and Powys and Glamorgan and Gwent, published by Cadw/HMSO), the authors recommend the following three sites as essential trips.

Tre'r Ceiri, Hill-fort, Llanaelhaern, Lleyn Peninsula, north Wales (SH 373 446). *Access:* by public footpaths. One of the most spectacular stone-built hill-forts in the British Isles, which has undergone a long-term programme of excavation and restoration.

Castell Henllys, Meline, Crymych, Pembrokeshire (SN 117 391). A fascinating hill-fort, under excavation and reconstruction, and fully open to the public. *Access:* signposted off A 487 (Fishguard road) between Cardigan and Newport.
Telephone and *fax:* (01239) 891319.
Website: http://castellhenllys.pembrokeshirecoast.org.uk/.

Celtic Village, Museum of Welsh Life, St. Fagans, Cardiff. *Access:* signposted from M4 (Junction 33) and A 4232 Cardiff East. An excellent reconstruction of a small defended farmstead of the Iron Age, complete with round houses, palisade and gateway. It can only be visited as part of a trip to the whole museum.
Website: http://www.nmgw.ac.uk/mwl/

Mannau eraill yng Nghymru.

O'r nifer fawr o fryngaerau y gellir ymweld â hwy yng Nghymru (gweler pedwar llyfr canllaw rhanbarthol Cadw i'r Hen Gymru Hanesyddol ar Ddyfed, Gwynedd, Clwyd a Phowys a Morgannwg a Gwent, a gyhoeddwyd gan Cadw/Gwasg Ei Mawrhydi), mae'r awduron yn argymell y tri safle a ganlyn fel teithiau hanfodol.

Bryngaer Tre'r Ceiri, Llanaelhaearn, Penrhyn Llyn, gogledd Cymru (SH 373 446). *Mynediad:* ar hyd llwybrau cyhoeddus. Dyma un o'r bryngaerau cerrig mwyaf trawiadol ym Mhrydain, a bu'n destun rhaglen tymor-hir o gloddio ac adfer.

Castell Henllys, Meline, Crymych, Sir Benfro (SN 117 391). Bryngaer hynod ddiddorol sy'n cael ei chloddio a'i hadlunio, ac sydd ar agor yn llawn i'r cyhoedd. *Mynediad:* arwyddion oddi ar yr A487 (ffordd Abergwaun) rhwng Aberteifi a Threfdraeth.
Ffôn a ffacs: (01239) 891319.
Gwefan: http://castellhenllys.pembrokeshirecoast.org.uk/

Y Pentref Celtaidd, Amgueddfa Werin Cymru, Sain Ffagan, Caerdydd. *Mynediad:* arwyddion oddi ar yr M4 (Cyffordd 33) a'r A4232 Dwyrain Caerdydd. Adluniad rhagorol o ffarm fach amddiffynedig o'r Oes Haearn ac ynddi dai crwn, palisâd a phorth. Ni ellir ymweld â hi ond fel rhan o daith i'r amgueddfa gyfan.
Gwefan: http://www.nmgw.ac.uk/mwl/

Further reading:

Prehistoric sites in Ceredigion and Wales

Burnham, H, 1995, *A Guide to Ancient and Historic Wales: Clwyd and Powys,* Cadw/HMSO.

Davies, J.L and Kirby D P, 1994, *Cardiganshire County History vol. I, From the Earliest Times to the Coming of the Normans,* CAS/RCAHMW, University of Wales Press, Cardiff.

Darllen pellach:

Safleoedd cynhanesyddol yng Ngheredigion a Chymru

Burnham, H, 1995, *A Guide to Ancient and Historic Wales: Clwyd and Powys*, Cadw/HMSO.

Davies, J L a Kirby D P, 1994, *Cardiganshire County History vol. I, From Earliest Times until the coming of the Normans*, CAS/RCAHMW, Gwasg Prifysgol Cymru, Caerdydd.

Forde, C D, Griffiths, W E, Hogg, A H A and Houlder, C H, 1963, 'Excavations at Pen Dinas, Aberystwyth,' *Archaeologia Cambrensis,* CXII, 125-153.

Houlder, C, 1974, *Wales: An Archaeological Guide,* Faber and Faber. (Out of print; available in libraries and second hand book shops).

Lynch, F, 1995, *A Guide to Ancient and Historic Wales: Gwynedd,* Cadw/HMSO.

Lynch, F, Davies, J L and Aldhouse-Green, S, 2000, *Prehistoric Wales*, Sutton Publishing.

Musson, C, 1994, *Wales from the Air, Patterns of Past and Present*, RCAHMW/HMSO.

Rees, S, 1992, *A Guide to Ancient and Historic Wales: Dyfed*, Cadw/HMSO.

Whittle, E, 1992, *A Guide to Ancient and Historic Wales: Glamorgan and Gwent*, Cadw/HMSO.

Williams, G and Mytum, H, 1998, *Llawhaden, Dyfed, Excavations on a group of small defended enclosures, 1980-4*, BAR British Series 275.

Iron Age and prehistoric Britain

Bewley, R, 1994, *Prehistoric Settlements*, English Heritage/Batsford.

Cunliffe, B, 1991, *Iron Age Communities in Britain*, 3rd Edition, Routledge.

Cunliffe, B, 1993, *Danebury*, English Heritage/Batsford.

Darvill, T, 1987, *Prehistoric Britain*, Batsford.

Dyer, J, 1992, *Hill-forts of England and Wales*, Shire Archaeology, Princes Risborough.

Sharples, N M, 1991, *Maiden Castle*, English Heritage/Batsford.

Forde, C D, Griffiths, W E, Hogg, A H A a Houlder, C H, 1963, 'Excavations at Pendinas, Aberystwyth,' *Archaeologia Cambrensis*, CXII, 125-153.

Houlder, C, 1974, *Wales: An Archaeological Guide*, Faber and Faber. (Allan o brint; ar gael mewn llyfrgelloedd a siopau llyfrau ail-law).

Lynch, F, 1995, *A Guide to Ancient and Historic Wales: Gwynedd*, Cadw/Gwasg Ei Mawrhydi.

Lynch, F, Davies, J L ac Aldhouse-Green, S, 2000, *Prehistoric Wales*, Sutton Publishing.

Musson, C, 1994, *Wales from the Air, Patterns of Past and Present*, RCAHMW/Gwasg Ei Mawrhydi.

Rees, S, 1992, *A Guide to Ancient and Historic Wales:* Dyfed, Cadw/HMSO.

Whittle, E, 1992, *A Guide to Ancient and Historic Wales: Glamorgan and Gwent*, Cadw/Gwasg Ei Mawrhydi.

Williams, G a Mytum, H, 1998, *Llawhaden, Dyfed, Excavations on a group of small defended enclosures*, 1980-4, BAR British Series 275.

Prydain yn yr Oes Haearn a'r cyfnod cynhanesyddol

Bewley, R, 1994, *Prehistoric Settlements*, English Heritage/Batsford.

Cunliffe, B, 1991, *Iron Age Communities in Britain*, 3ydd Argraffiad, Routledge.

Cunliffe, B, 1993, *Danebury*, English Heritage/Batsford.

Darvill, T, 1987, *Prehistoric Britain*, Batsford.

Dyer, J, 1992, *Hill-forts of England and Wales*, Shire Archaeology, Princes Risborough.

Sharples, N M, 1991, *Maiden Castle*, English Heritage/Batsford.

Pen Dinas: view from the southern approaches, showing the precipitous natural slopes of the hill which give the fort its great strength.

Pendinas: golwg arni o'r de sy'n dangos y llethrau serth a'i gwnaeth hi'n gaer mor gadarn.